SALVA

Alcanzando a las personas en una sociedad poscristiana

ROGER HERNÁNDEZ

Nampa, Idaho | Oshawa, Ontario, Canada
www.pacificpress.com

Director editorial: Ricardo Bentancur
Redacción: Alfredo Campechano
Diseño de la portada: Gerald Lee Monks
Ilustración de la portada: iStockPhoto.com
Diseño del interior: Diane de Aguirre

Puede obtener copias adicionales de este libro en www.libreriaadventista.com, o llamando al 1-888-765-6955

ISBN: 978-0-8163-9157-8

Pacific Press® Publishing Association.
P.O. Box 5353, Nampa, Idaho 83653
EE. UU. De N. A.

Printed in the United States of America

Diciembre 2018

Contenido

PARTE I: El DESAFÍO

Capítulo 1

El aumento de los "ninguno"

En los últimos días, habrá tiempos muy difíciles. 1 Timoteo 3:1.

La "religión" que más está creciendo en los Estados Unidos es la de los que no tienen religión alguna. Los encuestadores llaman a estas personas los "ninguno", pues cuando se les pregunta cuál es su religión, la respuesta es "ninguna". En los últimos veinte años, los "ninguno" han llegado a ser una de cada cuatro personas en este país. Este fenómeno preocupante es especialmente notable entre los jóvenes: "Dos estudios conducidos por el Grupo Barna y por el periódico *USA Today*, revelaron que casi el 75 por ciento de los cristianos jóvenes abandona la iglesia después de la escuela preparatoria".[1]

Una de las primeras cosas que debemos hacer como iglesia es definir la realidad. Me gusta cómo lo expresó el filósofo griego Parménides, del siglo VI antes de Cristo: "Lo que es, es".

Lo que es, es. No es lo que quisiera que sea, no es lo que fue o lo que hubiera sido, no es lo que será. Es lo que es. En este momento, el cristianismo en este país está en crisis. Esto es lo que es. Debemos estar preocupados, pero no derrotados. Hay iglesias que están alcanzando a los "ninguno".

La pregunta clave es: ¿Qué funciona? Permíteme comenzar con una historia.

Me gusta volar. Algunos ven los aviones como fábricas de ansiedad. Yo no. Uno de los beneficios de volar es que puedes concentrarte cuando estás trabajando. ¡Escribí este capítulo en un avión! Y ya que estamos hablando de los "ninguno", permíteme ilustrar lo que afirmo con una historia de aviones.

Cuando vivía en Oregón, viajaba frecuentemente por United Airlines. Me gustaba viajar con ellos y sus aerolíneas afiliadas. Hace algunos años nos mudamos a Georgia, y decidimos cambiar de aerolínea, porque United no tenía vuelos directos en nuestro territorio. Antes de tomar una decisión, hice tres cosas:

- Miré en Internet las diferentes opciones de líneas aéreas.
- Pregunté a mis amigos acerca de sus experiencias.
- Probé un par de aerolíneas.

Mientras estaba en ese proceso, recibí por correo una promoción de la aerolínea Delta, en la que me invitaban a formar parte de su programa de viajero frecuente con la suscripción de una tarjeta de crédito que aumentaba significativamente las millas acumuladas para ser usadas en viajes futuros. Me decidí por Delta en 2012, y es mi aerolínea preferida. No es perfecta, pero me tratan bien.

¿Qué tiene que ver esto con la religión, el cristianismo, el adventismo o el evangelismo? Pues hay varias similitudes. Por ejemplo, las personas que están interesadas en religión en tu comunidad van a seguir tres pasos similares a los míos en mi búsqueda de nuevas oportunidades aéreas:

- Buscarán información en Internet acerca de la iglesia, de *tu* iglesia. Van a examinar las diferentes opciones de religión. ¿Cómo está la página *web* de tu iglesia? ¿Cuál es tu presencia en las redes sociales? ¡Hay algunas iglesias que tienen páginas de Internet con fecha de 1990! El problema con la red es que no es neutral. Lo que no está trabajando activamente en tu favor, te afecta negativamente.
- Preguntarán a sus amigos acerca de sus experiencias en la iglesia. Esto tiene sus peligros, porque las personas que tienen una mala experiencia (por ejemplo, en un restaurante) se lo van a contar a un promedio de 16 personas, pero solo compartirán su buena experiencia con dos. En estos días de redes sociales, es mucho más fácil que la gente comparta la frialdad

que recibió al llegar a tu iglesia que las experiencias positivas. No me gusta, pero es lo que es.

- Probarán yendo a un par de iglesias antes de tomar su decisión. Este fin de semana, algunas personas llegarán a tu iglesia para comparar su experiencia entre ustedes con sus otras experiencias religiosas. ¿Estás listo para recibirlos y no abrumarlos, para no ignorarlos?

Regresemos a mi experiencia de viajero frecuente. Cuando Delta me envió una promoción para que la eligiera como mi aerolínea preferida, ese "volante" tenía una presuposición. Los ejecutivos de ventas de Delta presuponían que yo volaba. Lo único que tenían que hacer era diseñar una campaña de promoción para convencerme de volar con ellos.

Eso implica un problema. ¿Qué pasa con las personas que no vuelan? Hay millones de personas que no suben a los aviones regularmente, millones más que no lo hacen ni siquiera esporádicamente. ¿Cómo crees que es recibido un anuncio promocional de Delta entre las personas que no vuelan? ¿Cómo lo tomarán los que piensan que volar causa mucho estrés, que los aeropuertos tienen mucho "drama", que han sido maltratados por algunas aerolíneas o por otros pasajeros? Probablemente lo tirarán a la basura.

Esos son los "ninguno". No "vuelan". No tienen interés en "volar" porque nunca han estado expuestos a la maravilla de volar, o tuvieron malas experiencias, no le ven el sentido, o creen que no necesitan viajar en avión.

Si eres un ejecutivo de Delta, el primer paso que debes dar no es tratar de convencer a los clientes de que pertenezcan a tu programa de viajeros frecuentes, sino que entiendan que volar es ventajoso. Aplicando este razonamiento al tema de la religión, ¿cómo podemos hacer eso con los "ninguno" y el poderoso y transformador mensaje adventista? Para eso debemos comenzar por el principio de nuestro movimiento.

Comienzos

Nuestro evangelismo comenzó en el siglo pasado con ciertas realidades:

- Una cantidad sustancial de estadounidenses se suscribía a la fe cristiana, o por lo menos estaba asociada con dicha religión.
- Las personas creían que la Biblia era un documento importante que contenía verdades divinas.
- La mayoría de los habitantes de los Estados Unidos creía que Dios existe, que su Hijo se llama Jesús, y que él vino a morir por el hombre pecador.

Basado en esas realidades, el evangelismo adventista se concentró en presentar veinte o más puntos doctrinales para enseñarle a ese mundo que había una mejor opción. Si vuelas, ¿por qué no escoger la mejor experiencia posible? Ya que piensas que hay un Dios, y que el cristianismo es la religión verdadera, ¿por qué no escoger la versión del cristianismo que más se apega a la Biblia? Esa estrategia nos funcionó bien. Millones de personas han conocido a Jesús y su verdad de esa manera.

Pero ese mundo ya no existe. La gente ya no cree lo que creyó hace 150 años. Nuestra iglesia, sin embargo, continúa teniendo muchas de las mismas presuposiciones del siglo XIX y el siglo XX.

La realidad es que la fe y la práctica de la religión de los hispanos en los Estados Unidos ha cambiado en las últimas tres décadas. Este cambio debería ser motivo de preocupación y consideración para nosotros. Veamos algunos de estos cambios.

Cambios en la fe de los hispanos en los Estados Unidos

Los hispanos representan el grupo étnico que reflejó el nivel más profundo de cambio en materia religiosa en los últimos treinta años en los Estados Unidos. Todas las iglesias cristianas, de todas las etnias, se han visto afectadas por este cambio, pero veamos qué dicen particularmente los números acerca de los cambios de la fe y la práctica religiosa de los hispanos:

- La asistencia regular a la iglesia disminuyó un 21 por ciento: bajó del 54 al 33 por ciento.
- La lectura regular de la Biblia bajó del 55 al 30 por ciento.

- En las últimas tres décadas se ha duplicado el porcentaje de adultos hispanos que no asisten a ninguna iglesia: aumentó de 20 por ciento en 1991 a 40 por ciento en la actualidad.
- En 1991, dos tercios de los adultos hispanos (66 por ciento) dijeron que la fe religiosa era muy importante para ellos. Hoy, solo la mitad sostiene esta posición (51 por ciento).
- En las últimas tres décadas ha disminuido la creencia en la veracidad de la Biblia entre los hispanos. En 1991, el 62 por ciento de los adultos estuvieron muy de acuerdo en que la Biblia es veraz en todos los principios que enseña. Ese porcentaje ahora ha bajado a solo el 32 por ciento.
- El evangelismo es visto de una manera menos importante en estos días entre los hispanos. Mientras que, en 1991, el 48 por ciento sentía que tenía una responsabilidad personal de compartir sus creencias religiosas con creyentes de otras religiones, hoy solo el 18 por ciento siente esa responsabilidad.

La profecía que Pablo compartió con Timoteo acerca de que en los últimos días vendrán "tiempos difíciles" se está cumpliendo.

A estas estadísticas añádele la realidad del crecimiento de nuestra iglesia en los Estados Unidos. Tu iglesia local crece alimentada por cuatro fuentes:

Biológico. Los niños que crecen en la iglesia, y cuando llegan al rango de edad en que suelen pedir el bautismo, toman la decisión.

Traslado. Miembros que se mudan o emigran de otro país y piden su traslado a tu iglesia.

Retorno. Personas que una vez fueron cristianos, aun adventistas, que se fueron, y regresan.

Conversión. Personas que nunca se unieron a ninguna iglesia. No eran católicos ni cristianos, nunca creyeron en Dios hasta que el evangelio los alcanzó. La mayoría de los "ninguno" pertenece a este grupo.

Observa a los nuevos miembros de tu iglesia. ¿Cuántos de ellos pertenecen a la categoría número cuatro (conversión)? ¿Ves el problema? Los "ninguno" son los que más están aumentando y a los que menos estamos bautizando. No se necesita un doctorado de Harvard para entender que ese es un problema.

El problema no estestriba en que no estamos trabajando, sino en que no estamos trabajando según el método de Cristo y no estamos enseñando todas sus enseñanzas. Jim Puttman suele decir:

El método de Cristo + Las enseñanzas de Cristo = Los resultados de Cristo

Cuando no vemos los resultados de Cristo en nuestras congregaciones locales, el problema consiste en que hay descuido en la aplicación del método de Cristo, o en la proclamación de las enseñanzas de Cristo. Pero esto tiene solución.

Permíteme compartir una historia que te va a ayudar a entender bien este proceso. Mariel Lombardi nos relata la historia de la conversión de Giorgio y su familia de "ninguno" a adventista.

> Giorgio Chiesa es hijo de una familia italiana influyente. Fue bautizado en la catedral de San Pablo en el Vaticano, en una ceremonia ecuménica a cargo del papa Paulo VI y un líder musulmán. Todavía recuerda cuando, en su niñez, Karol Wojtyla (Juan Pablo II) visitaba a su madre en su casa. A los doce años comenzó a asistir a una escuela católica. En su primera clase de religión le preguntó al sacerdote profesor: "¿Cómo se puede demostrar la existencia de Dios?" La respuesta fue: "Este tema no se cuestiona, se cree por fe". Y fue invitado a salir de la clase. Cuando el director le hizo notar al padre la incredulidad de Giorgio y sus cuestionamientos, este contestó: "Si mi hijo no puede hacer preguntas en su clase de religión, no asistirá más".
>
> Poco a poco, Giorgio se convirtió en agnóstico. Creció yendo a las mejores escuelas y universidades de Europa. Allí

estudió Leyes y Comercio Internacional, siempre pensando que la religión era una invención humana, y Dios algo irreal. En 1999, mientras viajaba por España en un viaje de negocios, conoció a su esposa. Alejandra proviene de una familia adventista de Colombia, pero había dejado la iglesia luego de una crisis familiar y se había mudado a España para vivir con su hermano. Con el tiempo, Alejandra y Giorgio se casaron y se mudaron a Londres, donde ella comenzó a asistir a la iglesia adventista local. Giorgio la llevaba, pero no participaba de la actividad, ya que "la iglesia no era para mí", dijo. Luego de ocho años de vivir en Londres y de haber tenido dos hijos, se mudaron a Suiza. Allí Alejandra conoció a una dama adventista proveniente de la Argentina, y se convirtieron en muy buenas amigas. Cuatro años más tarde, el trabajo los llevó a vivir en Buenos Aires, Argentina. Mientras vivían allí, la querida hermana de Giorgio falleció de un cáncer agresivo, y quedaron devastados. En esos momentos de luto, la amiga argentina de Alejandra les recomendó que miraran los videos de un pastor adventista de una iglesia hispana en Collegedale, Tennessee, y así lo hicieron. Poco a poco, la religión comenzó a tener sentido para Giorgio.

Luego de tres años, la familia se trasladó a las Bahamas. Allí comenzaron a mirar el servicio de culto semanal que ofrece la Iglesia Hispanoamericana de Collegedale. Lo hicieron durante un largo tiempo, hasta que un día decidieron llamar a Joel Barrios, el pastor de la iglesia, para invitarlo a ir a las Bahamas y hospedarse en su casa. Allí él les impartió estudios bíblicos que había compartido en el pasado con personas agnósticas y ateas. Fue una experiencia milagrosa.

Cuando Barrios regresó a los Estados Unidos, la familia no solo estaba feliz, sino también espiritualmente unida. A pesar de la distancia, continuaron los estudios bíblicos vía *Skype*. En diciembre fueron a Colombia para las fiestas de fin de año, con planes de ir a esquiar a Canadá en febrero.

Estando en Colombia, compraron el equipo de esquí y lo enviaron a las Bahamas por *courier*, pero se lo robaron en el trayecto. No obstante, decidieron comprar un equipo nuevo e ir de todos modos a esquiar a Canadá. Al iniciar su viaje de regreso a las Bahamas, Giorgio se cayó en el aeropuerto de Colombia y se quebró un brazo, lo que impidió que fueran a esquiar. La familia estaba desilusionada.

Pocos días más tarde, Barrios llamó a Giorgio para invitarlos a una campaña de evangelismo que se realizaría en Tennessee. La Providencia hizo que la fecha del encuentro coincidiera con la del viaje a Canadá que habían tenido que cancelar, así que la familia viajó a Tennessee. Todos fueron impresionados con los temas prácticos que el pastor Roger Hernández, director ministerial de la Unión del Sur, presentó durante esa semana. Su hijo, de doce años, quien siempre se quejaba por tener que ir a la iglesia con su madre, estaba entusiasmado con los nuevos amigos que allí conoció. En el transcurso de esa semana, Giorgio tomó la decisión de ser bautizado, y ese viernes, Alejandra decidió rebautizarse.

Es asombroso ver la forma en que Dios trabaja plantando semillas mediante amigos e incluso mediante la pérdida de un equipo de esquí. Giorgio y su familia están felices con la nueva fe en Dios que descubrieron, y su membresía virtual con la familia de Dios en la tierra.[2]

No desesperes. Dios todavía tiene poder.

---

1. "¿Por qué tanta gente joven se está alejando de la fe?", *GotQuestions*, consultado en noviembre, 2018, en https://www.gotquestions.org/Espanol/desercion.html.
2. Joel Barrios, "Banquero italiano y familia bautizados en Tennessee", *Southern Tidings*, julio 2018, en https://www.southerntidings.com/news/banquero-italiano-y-familia-bautizados-en-tennessee/.

Capítulo 2

S.A.L.V.A.

Cinco necesidades universales

El secreto de alcanzar a las personas es sencillo, pero no es fácil: Descubre sus necesidades. Súplelas. Este proceso comienza entendiendo cuáles son dichas necesidades. Las siguientes tres preguntas son fundamentales:

- ¿Cuáles son los intereses de nuestra comunidad?
- ¿Cuáles son sus necesidades?
- ¿Cuáles son sus dificultades o problemas?

Apliqué estos principios en la última iglesia en la que serví como pastor. Fuimos a la comunidad a preguntar sobre estas tres áreas, y los resultados fueron reveladores:

- Intereses: niños, matrimonio, salud
- Necesidades: comida, empleo, seguro médico adecuado
- Debilidades o problemas: abuso, abandono, adicciones

Pero aprendí algo más: Donde se localizaba la iglesia, solo el 30 por ciento de los residentes conocía nuestra iglesia. El dato era consistente con lo que ocurre en todas las iglesias de los Estados Unidos. Cuando oigo hablar a alguien acerca de la persecución que se avecina, yo le pregunto: "¿Cómo van a perseguir a un grupo que ni siquiera se da a conocer dentro de la comunidad donde vive? ¿Cómo perseguir a un grupo que la gente no sabe que existe?"

Después de la encuesta, desarrollamos un programa para suplir las necesidades de nuestra comunidad. La iglesia fue transformada; antes era una fortaleza, ahora llegó a ser un hospital. En vez de construir murallas, construimos puentes. El balde de agua que nos lanzó la comunidad al hacernos ver que esta iglesia de quinientos miembros era desconocida para ellos nos impactó profundamente; pero cuando nos enfocamos en las necesidades de la comunidad, crecimos. En el próximo capítulo abordaremos el tema de la conexión entre el servicio a la comunidad y el evangelismo.

Descubrimos que cada comunidad tiene cinco necesidades. De allí nace el título de este libro: SALVA. Tomemos un momento para analizar cada una de esas necesidades.

Salud

Estamos inmersos en una crisis de salud. Casi el 50 por ciento de nuestra gente es obesa, sufre de enfermedades prevenibles y muere por falta de conocimiento. Un porcentaje significativo no tiene seguro médico. La iglesia que quiere alcanzar a la comunidad tiene que trabajar por una mejor salud en la comunidad, y lo hará de tres maneras.

a. *Instituciones*. Hospitales, clínicas y agencias médicas locales suelen proveer programas y servicios gratuitos con los que se puede trabajar en conjunto.
b. *Instrucción*. Los adventistas viven un promedio de siete años más que la población general. El problema es que hemos presentado el mensaje de salud como un martillo y no como un mapa. La iglesia debe ofrecer instrucción balanceada y regular sobre este tema. Nuestra gente muere por falta de conocimiento.
c. *Iniciativas*. A pesar de que hay que ser cuidadosos respecto a la relación con instituciones cívicas y gubernamentales, la iglesia tiene un papel que jugar en la distribución de información de programas existentes y la formación de iniciativas que beneficien a la comunidad. Si nunca nos sentamos a la mesa del po-

der donde se toman estas decisiones, nuestras necesidades no serán escuchadas. El Departamento de Servicios Humanos y de Salud [Department of Health and Human Services] ofrece muchos programas. Puedes empezar en el sitio web de ellos: https://www.hhs.gov/programs/index.html.

Alimento

Aun en un país como los Estados Unidos, existen millones de personas mal alimentadas. Esta es una necesidad que la iglesia puede suplir, pues hay muchos recursos disponibles a los que puede recurrir.

a. *Instituciones*. En tu comunidad hay instituciones que proveen comida a personas que la necesitan. Una de las más conocidas en el país es Feeding America. Puedes encontrar maneras de participar con ellos en: https://www.feedingamerica.org/take-action/volunteer.
b. *Instrucción*. La gente aprecia las clases de cocina, los libros de recetas que se puedan llevar a su casa, y los seminarios de preparación de alimentos. Selecciona instructores bien preparados.
c. *Iniciativas*. En los Estados Unidos existe un fenómeno llamado "desiertos alimentarios". Estos desiertos alimentarios son "aquellas áreas geográficas en las que sus habitantes tienen poca o ninguna disponibilidad de opciones alimentarias asequibles y saludables (especialmente frutas y verduras frescas) debido a la ausencia de tiendas a una distancia conveniente".[1]

- Por ejemplo, en Chicago, más de 500.000 habitantes viven en desiertos alimentarios, y otros 400.000 viven en vecindarios en los que predominan los restaurantes de comida rápida.
- Se calcula que 750.000 habitantes de la Ciudad de Nueva York viven en desiertos alimentarios, en tanto que cerca de tres millones de personas viven en lugares en los que hay

pocas tiendas que vendan verduras frescas o estas se encuentran muy lejos.
- En Miami, solo el 49 por ciento tiene acceso rápido a comida saludable en su vecindario.

Si deseas saber dónde se encuentran los más necesitados de tu comunidad, puedes utilizar el mapa interactivo del Departamento de Agricultura de los Estados Unidos [U. S. Department of Agriculture], en: https://www.ers.usda.gov/data-products/food-access-research-atlas/.

Lugar

Según las últimas estadísticas, más de medio millón de personas no tienen dónde vivir. Otros millones viven en condiciones menos que deseables. Hay un concepto equivocado de que las personas que viven en la calle son adictos o tienen problemas mentales; esas personas enfermas representan solo un porcentaje pequeño de la población indigente. En realidad, hay niños sin hogar y familias enteras que no tienen hogar porque han perdido su empleo. ¿Qué puedes hacer?

a. *Instituciones*. En tu ciudad hay organizaciones que tienen experiencia en el servicio a personas que no tienen donde vivir. En vez de intentar crear su propio albergue, coordínense con ellos, para evitar la duplicación de servicios.
b. *Instrucción*. No solo es importante ayudar a los que no tienen casa, sino ayudar también a los que tienen, pero corren el peligro de perderla. Muchas personas no tienen conocimiento financiero que les permita asegurar una vivienda. Instituciones del gobierno como el Departamento de Vivienda y Desarrollo Urbano [U. S. Department of Housing and Urban Development] proveen servicios gratuitos de asesoría, orientación y educación. Puedes obtener información en: https://www.hud.gov/espanol.
c. *Iniciativas*. Si deseas eliminar el problema, tendrás que ayudar

a los que no tienen hogar, y a los que lo tienen para que no lo pierdan. Hay varias iniciativas en las que puedes participar. Una de ellas es la Alianza Nacional para Acabar con la Indigencia [National Alliance to End Homelessness], con información en: https://endhomelessness.org/homelessness-in-america/.

Víctima

El tráfico de seres humanos no se acabó cuando se abolió la esclavitud en los Estados Unidos. En estos días, el número de personas víctimas de trata en el mundo oscila entre 600.000 y 800.000, con cerca de 15.000 víctimas en este país. Pero muy pocas personas en tu iglesia local conocen a alguna víctima. Estas personas existen en tu comunidad son invisibles pero reales.

Otro tipo de víctimas son las personas que sufren a causa del abuso infantil, el abuso sexual y la violencia doméstica, los cuales están destruyendo no solo a sus víctimas individuales, sino a las familias, a las comunidades y a la sociedad en general.

a. *Instituciones*. En cada comunidad hay organizaciones que combaten el tráfico de seres humanos. Puedes obtener información y recursos, y encontrar una línea para reportar casos de tráfico humano en: https://humantraffickinghotline.org/obtenga-ayuda. La Línea Nacional contra la violencia doméstica [National Domestic Violence Hotline] ofrece información, orientación y consejos en https://espanol.thehotline.org/. La línea de ayuda nacional de asalto sexual ofrece números de teléfono o servicios en línea en https://www.rainn.org/es.
b. *Instrucción*. Cuando invitamos a representantes de estas organizaciones a nuestras iglesias, siempre hay dos reacciones: (1) "No sabía que el problema existía en mi comunidad"; y (2) "Díganme cómo puedo ayudar". La información salva vidas y equipa a los miembros de tu iglesia para ayudar a las víctimas de la comunidad en maneras prácticas y concretas.

c. *Iniciativas*. En los últimos años, nuestra denominación se ha unido al coro de voces que se oponen a la violencia y ha formado un proyecto propio: *End It Now*. Puedes encontrar información acerca del proyecto en: www.enditnow.com.

Ayuda

Hemos dejado esta categoría al final a propósito. Aquí puedes incluir servicios específicos para tu comunidad. Pueden estar necesitados de mentores para estudiantes, clases sobre vida conyugal o seminarios sobre finanzas. La lista es interminable, porque las necesidades son interminables. Jesús dijo que a los pobres siempre los tendremos con nosotros (Mateo 26:11). Mientras estemos de este lado del cielo, siempre habrá oportunidades para demostrar compasión.

Comienza aquí

Si quieres ser más efectivo en el ministerio de alcanzar a la comunidad, tendrás que formar un plan concreto y ponerlo en práctica. Considera estas diez sugerencias prácticas. Puedes usarlas como puntos de referencia o como una lista de prioridades.

1. ***Propósito***. Comienza por revisar tu propósito. ¿Está bien expresado? ¿Tienes una visión de lo que quieres y puedes demostrarlo y motivar a tu iglesia en menos de dos minutos? Servimos por amor, por tanto, aparecer en las noticias o presentar un seminario acerca de la manera en que servimos no es lo importante.

2. ***Proveedores***. Existen muchas organizaciones que proveen cierto tipo de servicios a la comunidad. En vez de reinventar la rueda, como muchas veces se hace, ¿por qué no te unes a una organización que ya ofrece servicios? Voluntarios de América [Volunteers of America] organiza proyectos en todo el país. Encuentra más información en: http://www.voa.org/. Es un buen recurso que presta servicios a la comunidad. Puedes invitar a organizaciones que tienen los mismos objetivos. Siempre tenemos que ser cautelosos con sus agendas. Existen muchas organizaciones comunitarias y religiosas que prestan servicios a la comunidad, algunas por lapsos prolon-

gados. En un evento realizado en favor de la comunidad en la iglesia de Hillsboro, Oregón, invitamos a participar a muchas organizaciones, entre ellas un colegio cristiano local y su departamento de consejería, a representantes de hospitales locales y de la policía. Lo que ellos expusieron le abrió muchas puertas a la iglesia. Nos dieron quinientos ositos de peluche, vales de comida, clínicas de monitoreo del colesterol y más de cuarenta computadoras para un laboratorio, todo libre de costo.

3. ***Gente.*** Hay algunas personas en la comunidad que no están afiliadas a ninguna organización, pero que tienen sus propias fundaciones, iniciativas personales de las cuales podemos beneficiarnos y también ayudar al necesitado.

4. ***Alianzas.*** En cada lugar hay industrias que trabajan en beneficio de la comunidad. Si los visitas y les presentas tu visión para ayudar al necesitado, ellos te pueden proveer de sus recursos.

- Visita las asociaciones de negocios.
- Únete a las alianzas religiosas de la ciudad (Iniciativas de base de fe).
- Visita organizaciones como los *Boy Scouts* y *Girl Scouts* de América.
- Visita el banco de comida local.

5. ***Políticos.*** Algunas veces comunicarte con un político de la ciudad trae buenos resultados. Una de las primeras cosas que hago en mi distrito es conocer al alcalde, a los asambleístas municipales, al senador y al representante del distrito. ¿Por qué es importante esto?

- Ellos nos pueden mostrar las áreas de gran necesidad.
- Nos pueden guiar hacia otras organizaciones que sirven a la comunidad.
- Pueden proveer recursos, voluntarios y fondos de ayuda. Esta parte siempre implica riesgos, así que hay que proceder con precaución.

Cuando visito a algún político, me presento y le digo que tengo interés en contribuir al beneficio de la comunidad de una manera integrada, mediante el desarrollo físico, mental, emocional y espiritual. Casi siempre hago tres preguntas:

- ¿Cuál es la mayor necesidad de esta ciudad?
- ¿Con qué organizaciones de servicio a la comunidad puedo comunicarme?
- ¿Existen iniciativas que comenzaron durante su gestión que debo conocer?

Ellos siempre están dispuestos a ayudar y proveer lo necesario. En el caso de Portland, Oregón, el alcalde fue impresionado por las acciones de los cristianos en la comunidad.

6. ***Encuesta.*** Las mejores personas que pueden revelarte las necesidades de la comunidad son la misma población. Utiliza una simple encuesta (hay una muestra en el Apéndice) para hablar con la gente de la comunidad. Las respuestas te guiarán para elaborar y realizar un plan adecuado para tu comunidad.

7. ***Sermones.*** Predica acerca del servicio, desarrolla el servicio entre los grupos pequeños de estudio de la Biblia, y habla de ellos en las juntas de iglesia y en los comités. Recurre a tu ejemplo para hablar de los beneficios que ofrece una iglesia orientada al servicio a la comunidad. Diles que el servicio no solo beneficia al que es servido, sino también al que sirve.

8. ***Subsidio.*** Las acciones validan la misión. No se puede decir que el servicio a la comunidad es una prioridad hasta que se tenga el presupuesto para ello. Cuando hay un propósito claramente establecido, el presupuesto se destinará para validar el propósito de la misión hacia la comunidad.

9. ***Continuidad.*** Uno de nuestros problemas es que realizamos una actividad de impacto a la comunidad, y nada más. Cualquier tipo de servicio que se le brinde a la comunidad debe tener continuidad. Se comienza con un pequeño proyecto, y sigue desarrollándolo y dándole seguimiento constante.

10. ***Servir.*** No esperes hasta ser perfecto para poder servir, ni esperes hasta tener todas las personas, los fondos o los planes para servir. Que el servicio forme parte de tu estilo de vida.

Recordemos que todas nuestras acciones deben ser acompañadas por el poder de Dios. "Acompañada del poder de persuasión, del poder de la oración, del poder del amor de Dios, esta obra no será ni puede ser infructuosa".[2] Haz de este texto tu lema, para que puedas tener un estilo de vida marcado por el servicio:

"Trabajen con entusiasmo, como si lo hicieran para el Señor y no para la gente. Recuerden que el Señor recompensará a cada uno de nosotros por el bien que hagamos, seamos esclavos o libres" (Efesios 6:7, 8).

---

1. "Desiertos alimentarios", *Food Empowerment Project*, accessado en noviembre 2018 en http://www.foodispower.org/es/desiertos-alimentarios/.
2. Elena G. de White, *El ministerio de curación*, p. 102.

Capítulo 3

La conexión entre el servicio y el evangelismo

"Una religión que induce a los hombres a tener en poca estima a los seres humanos, a quienes Cristo consideró de tanto valor que dio su vida por ellos; una religión que nos haga indiferentes a las necesidades, los sufrimientos o los derechos humanos, es una religión espuria".[1]

Una pregunta frecuente que las personas hacen cuando presento seminarios acerca de cómo unir el servicio y el evangelismo es esta: ¿Hasta cuándo servimos a una persona antes de hablarle de Jesús? Esta es una buena pregunta. Te daré la respuesta más adelante.

Según mi observación personal, hay cuatro actitudes respecto al evangelismo y la acción comunitaria:

1. *Carnada.* El servicio se brinda con el deseo de conseguir información para visitarlos y darles estudios bíblicos. Esta estrategia no funciona mucho, pues las personas se dan cuenta de que están siendo usadas, se esconden y no regresan.
2. ***Forzada.*** El servicio se da con la condición de que haya una conexión a una experiencia religiosa. Por ejemplo, si quieres la caja de comida, debes entrar y oír el sermón; o si deseas estar en la clase de parejas, debes acceder a tomar los estudios bíblicos.
3. *Ignorada.* El servicio se da, y aunque la persona pida informa-

ción bíblica se le dice: "No estamos aquí para hablar de religión, aquí solo servimos comida". Esta estrategia tampoco funciona, porque, aunque debemos ser cuidadosos y prudentes al abordar temas espirituales, no debemos ignorar las necesidades espirituales de las personas a quienes servimos.

4. *Natural.* La mejor manera de brindar instrucción doctrinal es la natural, en la que se siguen tres principios:

- Servicio desinteresado
- Abierto a oportunidades divinas
- Listos para dar una respuesta

Una nueva vieja estrategia

Esta parte es la más importante del libro. Según los estudiosos de los patrones y las tendencias de las personas que no asisten a la iglesia (los "ninguno"), este es el mejor patrón para alcanzarlos. Observa cómo las estrategias han cambiado en los últimos setenta años.

Años 1850-1980: Campañas masivas, centralizadas. La decisión ocurre mayormente gracias al evangelismo público.

Blanco	Primer paso	Segundo paso	Tercer paso
Cristiano nominal: Dice que cree en Dios pero no está comprometido.	**Cristo:** Se comienza con estudios bíblicos y encuestas religiosas.	**Comunidad:** la persona viene a formar parte de la comunidad cristiana y se hace miembro de la iglesia.	**Causa:** El nuevo creyente comienza a trabajar por causas y necesidades en las que la iglesia está involucrada.

Años 1980-2000: Más énfasis en el evangelismo personal, de amistad; auge de grupos pequeños.

Blanco	Primer paso	Segundo paso	Tercer paso
Cristiano nominal: Dice que cree en Dios pero no está comprometido con ninguna religión.	**Comunidad:** La persona viene a formar parte de la comunidad de un grupo pequeño, o encuentra amistad, después solicita el bautismo.	**Cristo:** Se comienza con estudios bíblicos pero se lleva a la iglesia, donde toma su decisión.	**Causa:** El nuevo creyente comienza a trabajar por la comunidad.

Años 2000 hasta hoy: Más énfasis en el evangelismo de compasión y el servicio.

Blanco	Primer paso	Segundo paso	Tercer paso
"Ninguno"— No tiene ni se identifica con ninguna religión.	**Causa**— La iglesia comienza a trabajar en la comunidad por un lapso más prolongado.	**Comunidad**— La persona viene a formar parte de la comunidad de un grupo pequeño, o encuentra amistad; quiere pertenecer antes de creer.	**Cristo**— Se comienza con estudios bíblicos, pero toma su decisión en la iglesia local, por Internet, o en un grupo pequeño de estudio de la Biblia.

En resumen:

1950-1980:

Cristiano nominal: Cristo » Comunidad » Causa

1980-2000:

Cristiano nominal: Comunidad » Cristo » Causa

2000—hoy:

"Ninguno": Causa » Comunidad » Cristo

Ahora mira esta cita escrita por una profeta de Dios hace más de un siglo, y observa que el método de Cristo es el más aplicable con este patrón: Causa » Comunidad » Cristo:

> Solo el método de Cristo será el que dará éxito para llegar a la gente. El Salvador trataba con los hombres como quien deseaba hacerles bien. Les mostraba simpatía, *atendía a sus necesidades* y se ganaba su confianza. Entonces les decía: "Seguidme".
>
> Es necesario acercarse a la gente por medio del esfuerzo personal. Si se dedicara menos tiempo a sermonear y más al servicio personal, se conseguirían mayores resultados. Hay que aliviar a los *pobres*, atender a los *enfermos*, consolar a los *afligidos* y *dolientes*, instruir a los *ignorantes* y aconsejar a los *inexpertos*. Hemos de llorar con los que lloran y regocijarnos con los que se regocijan. Acompañada del poder de *persuasión*, del poder de la *oración*, del poder *del amor de Dios*, esta obra no será ni puede ser infructuosa.[2]

Cinco puntos de conexión

Siendo que la clave de alcanzar a los "ninguno" es tiempo y conexión, déjame darte cinco maneras de conectar con los "ninguno". Un cambio de estrategia es necesario. No tienes que detener tu vida para servir; debes vivir una vida de servicio.

Come. Todo el mundo come. ¿Por qué no dedicar una comida semanal para conectar con alguien que quieres ver en el cielo? Las personas que comen juntas se conectan a otro nivel. Las comidas estratégicas son estupendas.

Escucha. Todo el mundo tiene una historia. Toma tiempo para preguntarles a las personas que quieres llevar a Jesús acerca de la suya. Procura escuchar en vez de hablar tanto. El evangelismo no consiste en que solo nosotros hablemos, sino en escuchar más. Jesús hacía preguntas.

Sirve. "¿Cómo puedo servirte?" Esa debe ser tu pregunta diaria. Si escuchas sus historias, descubrirás sus necesidades.

Celebra. Todas las personas tienen momentos especiales que puedes celebrar. Aprovecha todos esos momentos para estar presente. Cumpleaños, bodas, *baby shower*, graduaciones, sepelios, juegos de los niños, promociones en el trabajo.

Juega. La religión verdadera no nos roba el placer de vivir. ¿Cómo puedes jugar con tus amigos? Días de playa, deportes, días de campo, salir a comer o de compras. La gente se conecta más cuando juega y ríe junta.

Niveles de servicio

Aunque es cierto que nuestro trabajo no consiste solo en combatir los males sociales a expensas del evangelio, tenemos una responsabilidad social como parte del evangelio: amar al mundo de la misma manera que entendemos que Dios nos ama. Elena G. de White explica este punto de una manera elocuente:

> "Una religión que induce a los hombres a tener en poca estima a los seres humanos, a quienes Cristo consideró de tanto valor que dio su vida por ellos; una religión que nos haga indiferentes a las necesidades, los sufrimientos o los derechos humanos, es una religión espuria. Al despreciar los derechos de los pobres, los dolientes y los pecadores, nos demostramos traidores a Cristo. El cristianismo tiene tan poco poder en el mundo porque los hombres aceptan el nombre de Cristo, pero niegan su carácter en sus vidas. Por estas cosas el nombre del Señor es motivo de blasfemia".[3]

Existen tres niveles de servicio a la comunidad, los cuales nos orientan en nuestros esfuerzos por aliviar y mejorar la vida de otros. El primer nivel consiste en la caridad; se enfoca en la necesidad inmediata, en la necesidad de hoy. El segundo nivel consiste en el entrenamiento, y se enfoca en obtener una mejor vida; el enfoque es en el mañana. El tercer nivel se enfoca en sistemas, en cambiar leyes, proveer cambios y lograr potenciar las posibilidades de un mejor estilo de vida a largo plazo. Veamos algunos ejemplos:

Ejemplo 1: Un hombre tiene hambre.
Nivel 1: Le damos un pescado.
Nivel 2: Le enseñamos a pescar.
Nivel 3: Cambiamos los sistemas para que tenga su propio lago.
Ejemplo 2: Una familia ya no percibe ingresos.
Nivel 1: Los llevamos al banco de comida.
Nivel 2: Les facilitamos clases de computación.
Nivel 3: Los ayudamos a conseguir su primera vivienda.
Ejemplo 3: Nos preocupa la prostitución en nuestra ciudad.
Nivel 1: Ayudamos a construir un refugio temporal para mujeres que abandonan la prostitución.
Nivel 2: Organizamos entrenamiento para conseguir mejores empleos.
Nivel 3: Trabajamos con los legisladores para establecer leyes que ayuden a estas personas a liberarse de la prostitución lo más rápido posible.

He observado que las iglesias tienden a concentrarse en el primer nivel de servicio, algunas veces en el segundo, pero el tercero es también importante. ¿Quién tiene el poder de reemplazar la injusticia con la justicia? ¿Cuántos de nuestros líderes se han sentado a la mesa con las personas que toman las decisiones en el tercer nivel? Temo que si no colaboramos para tener influencia en los sistemas, estaremos perpetuando el círculo vicioso de disfunción sin una solución duradera para muchos que la necesitan con urgencia.

Si te enfocas en la presentación del evangelio, pero no satisfaces las necesidades de la comunidad en los tres niveles, tendrás gente que entenderá la teología, pero con estómagos vacíos.

¿Es bíblico?

Cuando expongo este tema, algunas veces oigo expresiones de la gente que plantea que nosotros tenemos que predicar el evangelio, no transformar comunidades. Nuestra base para exponer las ideas anteriormente mencionada siempre debe ser la Biblia y el espíritu de profecía. Estas son algunas referencias bíblicas que sostienen una iglesia orientada hacia las necesidades de la comunidad:

- Jesús dijo: "Pues ni aun el Hijo del Hombre vino para que le sirvan, sino para servir a otros y para dar su vida en rescate por muchos" (Marcos 10:45).
- "Pero entre ustedes será diferente. El que quiera ser líder entre ustedes deberá ser sirviente" (Mateo 20:26).
- "Trabajen de buena gana en todo lo que hagan, como si fuera para el Señor y no para la gente. Recuerden que el Señor los recompensará con una herencia y que el Amo a quien sirven es Cristo" (Colosenses 3:23, 24).
- "Dios, de su gran variedad de dones espirituales, les ha dado un don a cada uno de ustedes. Úsenlos bien para servirse los unos a los otros" (1 Pedro 4:10).

Vimos anteriormente que Elena G. de White nos aconseja: "Hay que aliviar a los *pobres*, atender a los *enfermos*, consolar a los *afligidos* y *dolientes*, instruir a los *ignorantes* y aconsejar a los *inexpertos*".[4] Veamos algunas referencias bíblicas que apoyan y amplían lo que dice esta cita:

Pobres:

- "Siempre habrá algunos que serán pobres en tu tierra, por eso te ordeno que compartas tus bienes generosamente con ellos y también con otros israelitas que pasen necesidad" (Deuteronomio 15:11).
- "Denigrar al prójimo es pecado; benditos los que ayudan a los pobres" (Proverbios 14:21).
- "Había una creyente en Jope que se llamaba Tabita (que en griego es Dorcas). Ella siempre hacía buenas acciones a los demás y ayudaba a los pobres" (Hechos 9:36).
- "Pues, les cuento, los creyentes de Macedonia y Acaya con entusiasmo juntaron una ofrenda para los creyentes de Jerusalén que son pobres" (Romanos 15:26).

- "La única sugerencia que hicieron fue que siguiéramos ayudando a los pobres, algo que yo siempre tengo deseos de hacer" (Gálatas 2:10).

Enfermos:

- "Sanen a los enfermos, resuciten a los muertos, curen a los leprosos y expulsen a los demonios. ¡Den tan gratuitamente como han recibido!" (Mateo 10:8).
- "Podrán tomar serpientes en las manos sin que nada les pase y, si beben algo venenoso, no les hará daño. Pondrán sus manos sobre los enfermos, y ellos sanarán" (Marcos 16:18).
- "Sanen a los enfermos y díganles: El reino de Dios ahora está cerca de ustedes" (Lucas 10:9).
- "Como resultado del trabajo de los apóstoles, la gente sacaba a los enfermos a las calles en camas y camillas para que la sombra de Pedro cayera sobre algunos de ellos cuando él pasaba" (Hechos 5:15).
- "Entonces todos los demás enfermos de la isla también vinieron y fueron sanados" (Hechos 28:9).

Afligidos:

- "No deja con vida a los malvados pero hace justicia a los afligidos» (Job 36:6).

Dolientes:

- "El Espíritu del Señor Soberano está sobre mí, porque el Señor me ha ungido para llevar buenas noticias a los pobres. Me ha enviado para consolar a los de corazón quebrantado y a proclamar que los cautivos serán liberados y que los prisioneros serán puestos en libertad. Él me ha enviado para anunciar a los que se lamentan que ha llegado el tiempo del favor del Señor junto con el día de la ira de Dios contra sus enemigos. A todos los que se lamentan en Israel les dará una corona de belleza en lugar de cenizas, una gozosa bendición en lugar de luto, una festiva alabanza en lugar de desesperación. Ellos, en su justicia, serán como grandes robles que el Señor ha plantado para su propia gloria" (Isaías 61:1-3).

Ignorantes:

- "Me siento en deuda con todos, sean cultos o incultos, sabios o ignorantes; por eso estoy tan ansioso de anunciarles el evangelio también a ustedes que viven en Roma" (Romanos 1:14, 15; DHH).

Inexpertos:

- "Hacer sagaces a los jóvenes inexpertos, y darles conocimiento y reflexión" (Proverbios 1:4; DHH).

La Biblia testifica del gran amor de Dios hacia nosotros, amor que lo motivó a hacernos bien; el mismo amor que despierta en nosotros una respuesta a su bondad: "Y saben que Dios ungió a Jesús de Nazaret con el Espíritu Santo y con poder. Después Jesús anduvo haciendo el bien y sanando a todos los que eran oprimidos por el diablo, porque Dios estaba con él" (Hechos 10: 38). "¿No te das cuenta de lo bondadoso, tolerante y paciente que es Dios contigo? ¿Acaso eso no significa nada para ti? ¿No ves que la bondad de Dios es para guiarte a que te arrepientas y abandones tu pecado?" (Romanos 2:4).

Piensa un momento en las implicaciones que tienen estos pasajes:

- Es un hecho que la bondad de Dios te lleva al arrepentimiento. ¿Qué clase de bondad debemos manifestar a las demás personas?
- Es un hecho que la bondad de Dios es expresada en las obras que se hacen por los demás.
- Es un hecho que cuando la bondad de Dios se expresa, los demás alaban al Señor (ver 2 Corintios 9:13).

De estos pasajes podemos concluir que la bondad terrenal puede tener un impacto eterno. Cuando servimos, no solo suplimos las necesidades de otros, sino que los ayudamos para que conozcan a Dios.

Es interesante notar que se registran 37 milagros de Jesús en el

Nuevo Testamento, mientras solo hay registrado un sermón: el Sermón del Monte. Elena G. de White comentó: "Es necesario acercarse a la gente por medio del esfuerzo personal. Si se dedicara menos tiempo a sermonear y más al servicio personal, se conseguirían mayores resultados".[5] ¿Estás listo para hacerlo en tu iglesia? ¿Qué actividades y programas deben modificarse o eliminarse para que tu iglesia sea una iglesia en servicio?

¿Hasta cuándo les servimos? Les servimos hasta que pregunten, "¿Por qué?"

---

1. Elena G. de White, *El discurso maestro de Jesucristo*, p. 115.
2. Elena G. de White, *El ministerio de curación*, p. 102, énfasis agregado.
3. Elena G. de White, *El discurso maestro de Jesucristo*, p. 115.
4. Elena G. de White, *El ministerio de curación*, p. 102, énfasis agregado.
5. *Ibíd.*

Parte II: SEIS ESTRATEGIAS PARA ALCANZAR A TU COMUNIDAD

Cómo usar esta sección

Las iglesias estudiarán en sus grupos pequeños, durante los cultos, en forma personal o del modo en que ustedes elijan, estas lecciones durante seis semanas consecutivas. Estas son:

AMA
ORA
SIRVE
CONECTA
INVITA
TRANSFORMA

Estas mismas lecciones pueden convertirse en una serie de sermones con los mismos títulos, pero desarrollados por el pastor de la iglesia local.

Con el objeto de sacar el mayor provecho a este material, ten en cuenta las siguientes sugerencias:

- ¿De qué se trata? Es una guía práctica de seis semanas para alcanzar a nuestras comunidades para Jesús.
- ¿Qué se espera de mí? Asistencia, compromiso y deseo de colaborar con Dios bajo la dirección de su Espíritu. Tú tendrás el reto de salir de tu zona de comodidad. Pon a trabajar tu fe al estudiar el material.
- ¿Qué obtendré con esto? Tu amor por los hijos de Dios que se han alejado crecerá, tu experiencia personal con Dios se profundizará y tu habilidad de alcanzar almas para Dios se afinará, todo mientras impactas a tu comunidad en una forma real.

Estrategia #1

Ama

Al acercarse a Jerusalén, Jesús vio la ciudad delante de él y comenzó a llorar. Lucas 19:41.

¡Oh, Jerusalén, Jerusalén, la ciudad que mata a los profetas y apedrea a los mensajeros de Dios! Cuántas veces quise juntar a tus hijos como la gallina protege a sus pollitos debajo de sus alas, pero no me dejaste. Lucas 13:34.

Inspiración

"Hermanos míos, entrad en las ciudades mientras podáis hacerlo. En las ciudades donde ya se ha predicado, hay muchos que nunca han oído el mensaje de la verdad. Algunas personas que lo han escuchado se han convertido, y otras han muerto en la fe. Sin embargo, hay muchas otras que escucharían y aceptarían el mensaje de salvación si se les ofreciera la oportunidad de hacerlo... Estos, que constituyen nuestros últimos esfuerzos en favor de la obra de Dios aquí en la tierra, deben llevar con toda claridad el sello de lo divino" (Elena G. de White, *El evangelismo*, p. 29).

Transformación

1. En muchas ocasiones, en vez de *amar* a la comunidad, la hemos *abandonado*; no solo físicamente, sino relacionalmente. Contrasta esta actitud con la actitud de Jesús hacia Jerusalén. ¿Cómo reaccionó él cuando vio la comunidad de Jerusalén? *Lucas 19:41.*

2. Algunas personas que están estudiando este material viven en ciudades grandes. Esta pregunta es para ti. A Dios se le rompe el corazón cuando ve a sus hijos que están lejos de él. Muchas de estas personas viven cerca de ti, en las grandes ciudades. Estos datos son importantes:*

- En 1800, solo el tres por ciento de la población mundial vivía en áreas urbanas.
- En 1900, casi el catorce por ciento eran residentes urbanos, aunque solo doce ciudades tenían un millón o más de habitantes.
- En 1950, el treinta por ciento de la población mundial residía en centros urbanos. El número de ciudades con más de un millón de personas había crecido a 83.
- Se espera que el setenta por ciento de la población mundial será urbana en 2050, y que el mayor crecimiento urbano se producirá en los países menos desarrollados

¿Qué nos dicen estos datos acerca de la importancia de llegar a las ciudades? ¿Cuánto éxito está teniendo tu iglesia al respecto?

3. En las comunidades donde vivimos hay personas que no tienen principios bíblicos, y como resultado, hay necesidad de buena moralidad. Teniendo esto en cuenta, hay varias actitudes que se podrían tomar hacia esas comunidades. En la Biblia se mencionan por lo menos cuatro:

- Alejarse. *Hechos 16:39*
- Condenar. *Lucas 9:53-55*
- Evitar. *Mateo 16:21-23*
- Amar. *Mateo 9:36*

¿Cuál de las cuatro actitudes es la más frecuente en tu iglesia? ¿En tu familia? ¿En ti?

4. El amor de Jesús por su comunidad lo motivó a relacionarse con ella de maneras significativas. Observa tres maneras en que Jesús se relacionaba en Mateo 9:35. ¿Cuáles eran?

5. Toma un momento para leer los siguientes versículos. La mayoría de ellos pueden ser conocidos para ti, pero léelos de nuevo, como

si fuera la primera vez. ¿Qué significa para ti cada pasaje en el contexto del amor incondicional de Dios hacia nosotros, y su deseo de llevar esperanza a nuestro mundo?

- Romanos 5:8
- Jonás 4:10, 11
- 2 Tesalonicenses 2:16

Aplicación

Hay tres principios importantes que podemos aprender de esta lección:

1. ***El estilo de vida pecaminoso de otro, no determina nuestra demostración de amor.*** De acuerdo con Lucas 13:34, Jerusalén tenía un historial de ser una "ciudad que mata a los profetas y apedrea a los mensajeros de Dios", una comunidad que se negaba a ser corregida ("pero no me dejaste"). Sin embargo, Jesús la amó, la ministró, predicó en ella, y procuró transformarla de todos modos. ¿Qué instrucción específica nos da Jesús acerca de las personas que se oponen a los valores, principios y estilo de vida del reino? *Mateo 5:44, 45.*

2. ***En lugar de abandonar, ama.*** Cuando Jesús vio la necesidad, se dirigió hacia Jerusalén, no se alejó. Sabía que sus habitantes no lo tratarían bien, pero su corazón anhelaba salvarlos. Esa estrategia no ha cambiado. Cuando las "Torres Gemelas" fueron atacadas el 11 de septiembre de 2001, los bomberos y el personal de servicio corrieron hacia los edificios, cuando muchos los estaban dejando. ¿La razón? La gente necesitaba ser rescatada. Esa es la razón por la que existimos. No evites, no condenes ni te vayas. Ama a tu comunidad. ¿De qué manera hemos "dejado" atrás a nuestras comunidades? ¿Por qué es importante conectarnos de nuevo con la gente?

3. ***El amor es más que un sentimiento, es acción.*** Jesús lloró por su comunidad y tuvo compasión de la gente que vivía ahí. Eso fue maravilloso, pero no era suficiente. Él tomó esos sentimientos y los puso en acción. Sanó, predicó y ayudó. El propósito de estas lecciones es estimularnos unos a otros a la acción. ¿Puedes mencionar al-

gunas cosas que puedes hacer esta misma semana para conectar con tu comunidad? Comparte algunas ideas prácticas que puedes aplicar para demostrar el amor de Dios de manera práctica.

Participación

Cada día de esta semana, cuando te despiertes, recuerda el profundo amor que Dios tiene por los seres humanos. Busca maneras prácticas de demostrar ese amor. Comienza por alguien en el trabajo, en la escuela o en tu familia que es diferente de ti.

---

* "*Human Population: Lesson Plans*", *Population Reference Bureau*, 1° de julio de 2009, en www.prb.org/Educators/TeachersGuides/HumanPopulation/Urbanization.aspx.

Estrategia #2

Ora

Oren por la paz de Jerusalén; que todos los que aman a esta ciudad prosperen. Salmo 122:6.

Hananí, uno de mis hermanos, vino a visitarme con algunos hombres que acababan de llegar de Judá. Les pregunté por los judíos que habían regresado del cautiverio y sobre la situación en Jerusalén. Me dijeron: "Las cosas no andan bien. Los que regresaron a la provincia de Judá tienen grandes dificultades y viven en desgracia. La muralla de Jerusalén fue derribada, y las puertas fueron consumidas por el fuego". Cuando oí esto, me senté a llorar. De hecho, durante varios días estuve de duelo, ayuné y oré al Dios del cielo. Nehemías 1:2-4.

Inspiración

"En visiones de la noche pasó delante de mí un gran movimiento de reforma en el seno del pueblo de Dios. Los enfermos eran sanados y se efectuaban otros milagros. Se advertía un *espíritu de oración* como lo hubo antes del gran día de Pentecostés. Veíase a centenares y miles de personas visitando las familias y explicándoles la Palabra de Dios. Los corazones eran convencidos por el poder del Espíritu Santo, y se manifestaba un espíritu de sincera conversión. En todas partes las puertas se abrían de par en par para la proclamación de la verdad" (Elena G. de White, *Testimonios para la iglesia,* t. 9, pp. 102, 103; énfasis agregado).

Transformación

1. La oración, unida a la acción, cambia circunstancias, transforma personas y restaura comunidades. Cuando analizamos la vida de Nehemías, detectamos inmediatamente una actitud de oración y

dependencia de Dios en cada aspecto del proceso de restauración de su comunidad. Ten en cuenta estos momentos en los que oró:

- Cuando se enteró de malas noticias. *Nehemías 1:4.*
- Antes de una reunión importante. *Nehemías 2:4, 5.*
- Cuando surgió oposición contra él. *Nehemías 4:3-5.*
- Cuando se necesitaba corrección. *Nehemías 6:10-14.*
- Cuando la gente necesitaba el perdón. *Nehemías 9:1-3.*
- Cuando termina el libro. *Nehemías 14:30, 31* (nota la última línea).

Si la oración es tan importante para la restauración, ¿por qué en muchas de nuestras iglesias es ignorada, relegada o abandonada? ¿Qué puedes hacer para mejorar en esta área? ¿Qué principios específicos se pueden aprender de la experiencia de Nehemías que se pueden aplicar a tus circunstancias?

2. Hablemos de la oración eficaz. Podemos predicar, enseñar, escribir, hablar y aun soñar con la oración, pero, ¿estamos orando sin cesar? La oración eficaz tiene estas tres características:

- Es específica. ¿Acerca de qué estás orando? *Santiago 5:13-15.*
- Es medible. ¿Qué resultado esperas de Dios? *Santiago 5:17, 18.*
- Es constante. ¿Cuándo se debe dejar de orar sobre una situación o persona? *Colosenses 1:9.*

3. Hay varios ejemplos en la Biblia de comunidades bajo ataque o en peligro que oraron y Dios intervino en su favor. Estos ejemplos son útiles porque nos enseñan valiosos principios, como estos:

- Un rey ora cuando su ciudad está rodeada por enemigos. *2 Reyes 19:15-18, 32-34.*
- Eliseo ora, y su siervo tiene una experiencia sobrenatural. *2 Reyes 6:16-18.*
- Un gran problema se perfila en el horizonte. Un Dios más grande se ve actuando. *2 Crónicas 20:1-4, 22, 27, 28.*

Presta atención a las disciplinas espirituales que fueron determinantes en las circunstancias mencionadas arriba: la oración, el ayuno, la adoración. ¿Cómo podemos nosotros, en el siglo XXI, tener resultados similares en nuestra batalla contra las fuerzas de las tinieblas? ¿Cuán importante es la oración, el ayuno y la adoración en tu iglesia?

4. ¿Qué tipo de iglesia se describe en *Mateo 16:18, 19?* ¿Qué palabras te vienen a la mente al leer el texto? ¡Una iglesia que ora es una iglesia invencible que va a la ofensiva!

5. Toma un momento para leer los siguientes versículos. La mayoría de ellos pueden ser conocidos para ti, pero léelos de nuevo, como si fuera la primera vez. ¿Qué significa para ti el pasaje en el contexto de la oración, nuestra responsabilidad y el deseo de Dios de traer un cambio a nuestras comunidades?

- Efesios 1:18
- Efesios 6:19
- Colosenses 4:3

Aplicación

Hay tres principios importantes que podemos aprender de esta lección:

1. La oración* puede *cambiar la situación, pero* siempre *te cambia a ti. A veces Dios cambia la situación sin la participación del ser humano, pero muchas veces Dios utiliza personas de oración para cambiar las circunstancias a su alrededor. En el momento que comienzas a orar, Dios empieza a transformarte de termómetro a termostato. ¿En qué áreas de tu vida estás esperando que cambien las circunstancias en lugar de permitir que Dios te use para cambiarlas?

2. *La oración precede a la estrategia, la informa y la ayuda a alcanzar el éxito.* La oración nos muestra lo que Dios ya está haciendo en nuestra ciudad. La razón por la que oramos no es para torcerle el brazo a Dios, sino para relacionarnos con él, y así ver con claridad cuál es su plan. Piensa en las reuniones de junta de iglesia o de cualquier ministerio. ¿Cuánto tiempo se dedica en esas reuniones a buscar a Dios y *sus* ideas en vez de las opiniones y los planes que parecen adecuados? ¿Cómo se puede hacer de la oración una prioridad en cada reunión de la iglesia?

3. *Nada sucede* hasta que *se ora. No sucede mucho si* solo *oras.* Así como la fe sin obras está muerta, lo mismo sucede con la oración sin acción. La actividad que sigue inmediatamente a una oración demuestra el nivel de tu fe. Además de orar por un vecino, una comunidad o un problema, ¿qué puedes *hacer* al respecto? Sé específico. Comparte algunas ideas prácticas sobre cómo pusiste tu fe en acción la semana pasada.

Participación

¿Cuánto tiempo se toma para orar en tu iglesia cada semana? ¿Cuánto tiempo abarcan los anuncios? ¿Cómo puedes mejorar esa situación? Esta semana, recuerda el poder de Dios. Ora por tus vecinos, sé específico, y hazlo de manera continua.

Esta semana, haz tuyo este pensamiento bíblico: "[Jabes] fue quien oró al Dios de Israel diciendo: '¡Ay, si tú me bendijeras y extendieras mi territorio! ¡Te ruego que estés conmigo en todo lo que haga, y líbrame de toda dificultad que me cause dolor!'; y Dios le concedió lo que pidió" (1 Crónicas 4:10).

Estrategia #3

Conéctate

Y cada día, en el templo y casa por casa, seguían enseñando y predicando este mensaje: "Jesús es el Mesías". Hechos 5:42.

Numerosas multitudes lo seguían a todas partes: gente de Galilea, de las Diez Ciudades, de Jerusalén, de toda Judea y del oriente del río Jordán. Mateo 4:25.

Inspiración

"La formación de pequeños grupos como base del esfuerzo cristiano me ha sido presentada por Uno que no puede errar. Si hay muchos miembros en la iglesia, organícense en pequeños grupos para trabajar no solo por los miembros de la iglesia, sino en favor de los incrédulos" (*Joyas de los testimonios*, t. 3, p. 84).

Transformación

1. ¿Cómo resumió Jesús su propósito y misión (y la de la iglesia)? *Lucas 19:10*

2. Si definimos "conectar" como "ganar o atraer", entonces, ¿qué métodos ha utilizado tu iglesia en el pasado para "ganar" o "atraer" a las personas que están lejos de Dios? ¿Han sido efectivos, en su estimación? Haz la siguiente encuesta en tu grupo pequeño:

¿Cómo llegaste a la iglesia por primera vez?

- ☐ **amigo, pariente**
- ☐ **volante / folleto**
- ☐ **televisión o publicidad por radio**
- ☐ **llegué solo**
- ☐ **otro** ______________________________

¿Qué nos dicen los resultados de esta encuesta acerca de la importancia de relacionarnos de manera intencional y permanente con las personas de nuestra comunidad? Si tu iglesia se fuera mañana de su comunidad, ¿la extrañarían los vecinos? ¿Qué cosas prácticas podemos hacer para mejorar esa realidad?

3. Una gran manera de conectar con las personas a nuestro alrededor es por medio de grupos pequeños. Hay por lo menos cuatro beneficios de tener grupos pequeños en la iglesia:

    - *Más económico.* Se puede tener muchos grupos con un presupuesto limitado.
    - *Mayor impacto.* Se puede tener un número ilimitado de grupos pequeños, en áreas que están más cerca de los hogares de sus miembros, y es menos intimidante para los no creyentes que venir a una iglesia.
    - *Desarrolla más líderes.* En vez de que un líder (o el pastor) ofrezca toda la enseñanza, muchos pueden enseñar. En vez de que uno dirija, muchos pueden dirigir, y lo pueden hacer en un ambiente más cómodo. El grupo pequeño es un gran lugar para identificar, desarrollar y multiplicar líderes.
    - *Más bíblica* (que otros modelos). Lee Hechos 5:42. La iglesia primitiva se reunía regularmente en los hogares, y el Antiguo y el Nuevo Testamento estimulan esa práctica. Los principios de los grupos pequeños como el compañerismo, la evangelización, el crecimiento espiritual y la adoración están sólidamente fundados en la Biblia.

Ahora contesta lo siguiente: Si los grupos pequeños son tan buena idea, ¿por qué no tenemos más? ¿Cómo podemos motivar a las personas en nuestra congregación a ser parte de esta experiencia?

4. Una estrategia importante para conectar con las personas en nuestra comunidad es aprovechar cada oportunidad que Dios nos da para compartir nuestra fe. Muchas de estas oportunidades

se presentan en forma de interrupciones a nuestra vida diaria. Una lectura cuidadosa de los milagros de Jesús descritos en los evangelios revela que él realizó muchos de ellos a raíz de una "interrupción". En otras palabras, él no estaba en camino a realizar dicho milagro, pero cuando se presentó la oportunidad de ministrar a las necesidades de la gente, la aprovechó. Estos son tres ejemplos:

- Un sermón se interrumpe. *Lucas 5:18-20.*
- Un funeral se detiene. *Lucas 7:11-15.*
- Un viaje se interrumpe. *Lucas 8:41-48.*

¿Puedes pensar en algún otro milagro que Jesús hizo de esta manera? Todos tenemos vidas muy ocupadas. ¿Cómo podemos aprovechar los "momentos" que Dios nos regala con la gente que él trae a nuestra vida?

5. Toma un momento para leer los siguientes versículos. La mayoría pueden ser conocidos para ti, pero léelos de nuevo, como por primera vez. ¿Qué significa el pasaje para ti en el contexto de conectar con las ciudades por medio de grupos pequeños?

- Hechos 12:12
- Hebreos 10:24, 25
- Hechos 2:46, 47

Aplicación

Hay tres principios importantes que podemos aprender de esta lección:

1. ***La mejor propaganda para el reino de Dios... ¡eres tú!*** Tú eres el punto de referencia. Tú haces que la propaganda se haga realidad. Vamos a usar nuestra imaginación por un momento: Supongamos que una nueva campaña publicitaria se lanza en la televisión promoviendo una cadena de restaurantes. Después de ver el anuncio, experimentas algo que llamamos "hambre", así que buscas tu carro y te vas al restaurante. Encuentras el lugar bastante vacío; los camareros te ignoran mientras charlan entre ellos; al fin vienen, pero solo te dan el menú y siguen con su conversación. El lugar no está muy bien cuidado, y te cobran hasta por el agua. La comida, sin embargo, es rica. ¿Volverías a ese restaurante? ¿Te irías a tu casa con un gran deseo de invitar a otras personas a que regresen contigo? Ahora piensa en la propaganda que hacemos para el evangelismo. ¿Es el volante o el anuncio la publicidad equivocada para que la gente venga, o es que le falta el toque personal para que sea más eficaz?

2. ***Tú puedes ser "LIDER" de un grupo pequeño.*** No necesitas un título en teología, solo necesitas el deseo de compartir a Jesús. Para ser un buen líder, necesitas cinco cosas:

L: *Lleva a las personas a Jesús.* Se trata de él, no de ti. Nos reunimos con el fin de conocerlo mejor a él. Dejamos nuestras agendas personales a un lado, para exaltar a Jesús.

I: *Iniciativa personal.* Si ya estás cansado de hablar, mirar, pensar, estudiar, y quieres trabajar, el grupo pequeño es un excelente vehículo para activar tu fe.

D: *Desarrolla a otros.* En el momento en que un grupo comienza, el líder debe identificar, capacitar y designar a la persona que lo va a reemplazar. El poder que no se comparte se pierde.

E: *Es misionero.* Los grupos pequeños existen para edificar a los creyentes y *alcanzar a los perdidos.* El objetivo es desarrollar con los no creyentes una relación que termine en redención.

R: *Rinde cuentas a otra persona.* Un gran líder es una persona transparente, que entiende que él o ella no tiene todas las respuestas, e intencionalmente tiene personas en su vida que le hacen las preguntas difíciles.

Después de que esta serie de lecciones termine, ¿estarás dispuesto a continuar la reunión con el grupo pequeño? ¿Considerarías en oración comenzar/continuar/reiniciar un grupo pequeño en tu casa o cerca de ella? Por favor, habla de esto con tu líder de grupo o con el pastor. Hazlo pronto.

3. ***Para poder conectar con personas, cada miembro debe estar involucrado en un ministerio.*** Si nos sentamos a esperar que los profesionales pagados terminen la obra, estaremos sentados durante mucho tiempo. Necesitamos integrar la comunidad en la que vivimos. Nuestra iglesia tiene que dejar de ser el secreto mejor guardado. Debemos ser intencionales en la estrategia, consistentes en el esfuerzo, y pacientes en los intentos. ¿Qué cosas prácticas podemos, como grupo, hacer esta misma semana para conectar mejor con la comunidad? Comparte por lo menos tres ideas prácticas. ¿Qué puedes hacer alrededor de tu iglesia? ¿Alrededor de tu casa? ¿Alrededor de tu lugar de trabajo?

Participación

Esta semana, ora cada día por el ministerio de grupos pequeños de tu iglesia. Haz de esta tu oración a medida que vas conectando con la comunidad donde vives: "Y les dio las siguientes instrucciones: 'La cosecha es grande, pero los obreros son pocos. Así que oren al Señor que está a cargo de la cosecha; pídanle que envíe más obreros a sus campos'" (Lucas 10:2).

Estrategia #4

Sirve

Había una creyente en Jope que se llamaba Tabita (que en griego significa Dorcas). Ella siempre hacía buenas acciones a los demás y ayudaba a los pobres. Hechos 9:36.

Pues ni aun el Hijo del Hombre vino para que le sirvan, sino para servir a otros y para dar su vida en rescate por muchos. Marcos 10:45.

Inspiración

"Solo el método de Cristo será el que dará éxito para llegar a la gente. El Salvador trataba con los hombres como quien deseaba hacerles bien. Les mostraba simpatía, atendía a sus necesidades y se ganaba su confianza. Entonces les decía: "Seguidme". Es necesario acercarse a la gente por medio del esfuerzo personal. Si se dedicara menos tiempo a sermonear y más al servicio personal, se conseguirían mayores resaltados. Hay que aliviar a los pobres, atender a los enfermos, consolar a los afligidos y dolientes, instruir a los ignorantes y aconsejar a los inexpertos. Hemos de llorar con los que lloran y regocijarnos con los que se regocijan. Acompañada del poder de persuasión, del poder de la oración, del poder del amor de Dios, esta obra no será ni puede ser infructuosa" (Elena G. de White, *El ministerio de curación,* p. 102).

Transformación

1. Steve Sjogren, autor del libro *Conspiracy of Kindness* [Conspiración de bondad], escribe: "Las cosas pequeñas hechas con gran amor pueden cambiar el mundo".* El propósito de esta lección es despertarnos y ayudarnos a ver la gran cantidad de oportunidades que tenemos para servir a nuestra comunidad. ¿Cuál fue el método de Jesús para llegar a la gente? La respuesta está en Hechos

10:38: "Dios ungió a Jesús de Nazaret con el Espíritu Santo y con poder. Después Jesús anduvo haciendo el bien y sanando a todos los que eran oprimidos por el diablo, porque Dios estaba con él". Si lo notaste, Jesús hacía dos cosas:

- *Hacía el bien.* Eso se llama servicio a la comunidad.
- *Sanaba a todos.* Eso se llama traer sanidad.

Si Jesús viviera en tu comunidad, ¿qué crees que pasaría sus días haciendo? Sé específico... Usa tu imaginación.

2. Lee el texto de Romanos 2:4: "¿No te das cuenta de lo bondadoso, tolerante y paciente que es Dios contigo? ¿Acaso eso no significa nada para ti? ¿No ves que la bondad de Dios es para guiarte a que te arrepientas y abandones tu pecado?" Piensa por un momento en las implicaciones de este pasaje:

- La bondad de Dios es lo que guía al ser humano al arrepentimiento. La pregunta que sigue es esta: ¿Cómo podemos manifestar su bondad a la gente? ¡La bondad de Dios se expresa por medio de las obras de servicio de su pueblo hacia los demás!
- La bondad de Dios, cuando se expresa en actos de servicio, hace que los demás lo alaben (ver 2 Corintios 9:13).

En conclusión, nuestra bondad puede tener un impacto eterno. Cuando servimos no nos limitamos a responder a las necesidades; estamos ayudando a la gente a tener un encuentro con Jesús.

3. El servicio a los demás sigue tres principios fundamentales. A medida que tu grupo se prepara para cubrir tu comunidad con demostraciones prácticas del amor de Dios, será bueno tener en mente estos principios:

- *Servimos a los demás por causa de Jesús.* Él es la razón por la que servimos. Él lo mandó, lo modeló y lo bendice. Lee Efesios 6:7.

- *Servimos a los demás.* No servimos para sentirnos bien con nosotros mismos. No servimos por cumplir un requisito, para publicar lo que hicimos, o para ser felicitados por otros. Servimos para satisfacer las necesidades de nuestras comunidades. Lee Gálatas 5:13.
- *Servimos sin expectativas.* "Gratis" significa *gratuitamente.* Buscamos oportunidades para compartir el amor de Dios, sin condiciones. No recibimos donaciones, y nunca cobramos. Lee Mateo 6:2-4.

4. Un estilo de vida de servicio logra varios objetivos. Aquí hay tres principios bíblicos:

- *Un estilo de vida de servicio es parte de lo que Dios espera de ti.* Debes recordar que en el juicio final, en lugar de verificar si sabes el significado de las bestias del libro de Daniel, Dios preguntatará: "¿Qué hiciste con mis hijos que necesitaban ayuda?" Lee Mateo 25:34-36.
- *Un estilo de vida de servicio nos saca de nuestra zona de comodidad.* Va más allá de nuestros amigos y nuestra familia. El verdadero servicio busca ayudar a los que no creen, visten, hablan o actúan como nosotros. ¡Esto incluye a nuestros enemigos! Lee Mateo 5:46-48.
- *Un estilo de vida de servicio rompe barreras.* El servicio se basa en el amor, y el amor puede "conquistar todo". Cuando expresamos amor, eliminamos prejuicios acerca de la iglesia y de Dios.

Lee Romanos 12:10. ¿Cuál es la razón por la que la mayoría de las iglesias no están orientadas hacia el servicio? Imagina que formas parte de un grupo que va a plantar una nueva iglesia. ¿Cómo aplicarías el principio de servicio en la vida de la nueva iglesia? ¿Qué quitarías? ¿Qué comenzarías a hacer?

5. Hay 37 milagros de Jesús registrados en el Nuevo Testamento. Solo hay un sermón escrito de Jesús, el Sermón de la Montaña. Esto es precisamente el consejo que Dios nos dio: "Si se dedicara menos tiempo a sermonear y más al servicio personal, se conseguirían mayores resultados" (Elena G. de White, *El ministerio de curación*, p. 102). El mismo libro nos dice que el servicio debe concentrarse en cuatro áreas principales: "Hay que aliviar a los pobres, atender a los enfermos, consolar a los afligidos y dolientes, instruir a los ignorantes y aconsejar a los inexpertos".
Hay muchas necesidades en tu comunidad:

- necesidades financieras
- necesidades de salud
- necesidades emocionales
- necesidades educativas

Piensa en opciones de actos de servicio que suplen estas necesidades. Desarrolla una lista de por lo menos diez opciones. Escoge una actividad que coincida con cada una de las necesidades mencionadas o piensa en otra necesidad diferente. Elige una actividad para hacerla con tu grupo, y otra que vas a hacer por tu cuenta.

Aplicación

Hay tres principios importantes en esta lección:

1. ***El servicio expande tu impacto.*** Cuando servimos, impactamos tres grupos de personas en forma positiva: el que sirve, los que sirven junto con nosotros y los que son servidos. Esto es especialmente importante para la generación más joven, a quienes les gusta ver a la iglesia involucrada en la comunidad de manera práctica. ¿Cómo puedes involucrar a los jóvenes de tu iglesia en estos proyectos? Menciona tres cosas que puedes hacer.

2. ***El servicio honra a Dios, bendice a la gente y cambia las percepciones de los inconversos.*** El evangelismo de servicio ablanda los corazones de las personas que aún no son cristianas, personas que a menudo piensan que la iglesia existe solo para sí misma o que solo

quiere el tiempo de la gente y su dinero. Al hacer actividades de servicio de "bajo riesgo" mostramos "alta gracia", y aquellos que son resistentes a la fe pueden ahora o en el futuro tornarse más receptivos al mensaje salvador de Jesucristo. ¿Cómo podemos servir sin condiciones y, al mismo tiempo, buscar oportunidades de compartir a Jesús con las personas que estamos sirviendo? ¿Dónde está el equilibrio entre no presionar a la gente y, sin embargo, estar atentos para esos "momentos de Dios" que podemos usar para compartir nuestra fe?

3. ***El servicio es más que un evento.*** No es algo que hacemos de vez en cuando para aplacar la conciencia, apaciguar a los líderes, o asegurarnos que estamos cumpliendo con un requisito. Con el fin de hacer de esto una prioridad en nuestras iglesias debemos hacer cuatro cosas: calendarizarlo, financiarlo, modelarlo y hablar de ello.

¿Estás listo para hacer esto en tu iglesia? ¿Qué actividades y programas deberían ser modificados o incluso eliminados, para hacer de esto una realidad?

Participación

Esta semana, recuerda que tu servicio debe estar acompañado por el poder de Dios. "Acompañada del poder de persuasión, del poder de la oración, del poder del amor de Dios, esta obra no será ni puede ser infructuosa" (*El ministerio de curación*, p. 102).

Piensa en el siguiente texto esta semana al participar en una vida de servicio, y comencemos una "servolución" (revolución de servicio): "Trabajen con entusiasmo, como si lo hicieran para el Señor y no para la gente. Recuerden que el Señor recompensará a cada uno de nosotros por el bien que hagamos, seamos esclavos o libres" (Efesios 6:7, 8).

---

*Steve Sjogren, *Conspiracy of Kindness* (Minneapolis, MN: Bethany House, 2003), p. 239.

Estrategia #5

Invita

Tuve hambre, y me alimentaron. Tuve sed, y me dieron de beber. Fui extranjero, y me invitaron a su hogar. Mateo 25:35.

La mujer dejó su cántaro junto al pozo y volvió corriendo a la aldea mientras les decía a todos: "¡Vengan a ver a un hombre que me dijo todo lo que he hecho en mi vida! ¿No será éste el Mesías?" Así que la gente salió de la aldea para verlo. Juan 4:28-30.

Inspiración

"No debemos estrechar la invitación del evangelio y presentarla solamente a unos pocos elegidos, que, suponemos nosotros, nos honrarán aceptándola. El mensaje ha de proclamarse a todos. Doquiera haya corazones abiertos para recibir la verdad, Cristo está listo para instruirlos. Él les revela al Padre y la adoración que es aceptable para Aquel que lee el corazón. Para los tales no usa parábolas. A ellos, como a la mujer samaritana al lado del pozo, dice: 'Yo soy, que hablo contigo'" (Elena G. de White, *El Deseado de todas las gentes,* p. 162).

Transformación

1. Echemos un vistazo a algunas historias bíblicas que ilustran el poder de una invitación personal. ¿Quién fue la persona invitada?

Jesús invitó a ________________________. Juan 1:35-39.
Andrés invitó a ______________________. Juan 1:40-42.
Jesús invitó a _________________________. Juan 1:43.
Felipe invitó a ______________________. Juan 1:45, 46.

¿Qué diferencias ves en las invitaciones? ¿Qué es igual en todas?

2. Antes de invitar a la gente a la iglesia, debemos recordar que no todas las personas son iguales. El libro, *The Unchurched Next Door* [El incrédulo a mi lado], divide en cinco categorías a las personas que están lejos de Dios.* Fíjate en los porcentajes de sus respuestas, cuando se les hizo la pregunta: ¿Cuál es su actitud hacia a la iglesia?

   - Antagonista 5 por ciento
   - Resistente 11 por ciento
   - Neutral 36 por ciento
   - Simpatizante 27 por ciento
   - Muy convencido 11 por ciento

   Casi ocho de cada diez personas que no acostumbran asistir a la iglesia dicen que asistirían si alguien los invitara. ¿Qué piensas sobre estas estadísticas? ¿Reflejan la comunidad dónde vives? ¿Qué es lo que estos datos nos dicen acerca de la importancia de una invitación personal?

3. Tendrás más éxito al invitar a las personas a la iglesia si sigues ciertos consejos. Para encontrarlos, lee Juan 4:29, 30, 39-42.

   - La invitación funciona mejor cuando es sencilla y sin forzar. Ella simplemente dijo: "Vengan y vean".
   - La invitación funciona mejor cuando se hace personalmente. Ella fue y los invitó personalmente.
   - La invitación funciona mejor cuando está unida a un testimonio. ¡Dios había tocado su vida, y ella tenía algo que compartir!
   - La invitación funciona mejor cuando tú estás entusiasmado al invitar. El entusiasmo genera entusiasmo. ¿Qué ha hecho Dios últimamente en tu vida que te tiene emocionado?

   ¿Qué sucede si tu experiencia no es similar a la de la mujer del pozo? ¿Todavía puedes invitar a la gente? ¿Cómo invitas? ¿Por qué invitas? Lee el siguiente texto: "Luego Jesús se dirigió al anfitrión: 'Cuando ofrezcas un almuerzo o des un banquete —le dijo—, no invites a tus amigos, hermanos, parientes y vecinos ricos. Pues ellos también te invitarán a ti, y esa será tu única recompensa. Al contrario, invita al pobre, al lisiado, al cojo y al ciego. Luego, en la resurrección de los justos, Dios te recompensará por invitar a los que no podían devolverte el favor'" (Lucas 14:12-14).

4. Ahora piensa en esto: Si el invitar a una persona puede cambiar su vida para siempre, si las posibilidades de éxito son mayores de lo que pensábamos, y si Dios lo espera de nosotros, ¿por qué no lo hacemos más a menudo? Puede haber un par de razones. Piensa lo que una respuesta adecuada sería a cada una de estas excusas:

- "Creo que van a dccir que no".
- "Ya una vez me dijo que no".
- "No sé a quién invitar".
- Otras excusas que has oído...

5. Toma un momento para leer los siguientes versículos. La mayoría pueden ser conocidos para ti, pero léelos de nuevo, como si fuera la primera vez. ¿Qué significa el pasaje para ti en el contexto de llegar a la comunidad, y el poder de una invitación?

- Mateo 28:6
- Hechos 8:30-32
- Lucas 18:22

Aplicación

Hay tres principios importantes que podemos aprender de esta lección:

1. ***Una invitación es más efectiva cuando se hace en el contexto de una relación.*** Todos recibimos invitaciones todo el tiempo, a través del correo electrónico, volantes, publicidad en la televisión, con diversos grados de éxito. La realidad, es que no hay nada como una invitación de un amigo. Te invito a sacar el mayor provecho de las relaciones que ya tienes. Recuerda a quiénes debes invitar: a amigos, familiares, colegas, vecinos, compañeros de trabajo. Esos son tus círculos de influencia. Escribe el nombre de alguien en la lista de abajo a quien deseas invitar a la iglesia o a un grupo pequeño.

Amigos ______________________
Familiares ______________________
Colegas ______________________
Vecinos ______________________
Compañeros de trabajo ______________________

¿Qué te ha detenido de invitar a la gente a la iglesia en el pasado? Repasa la encuesta que hiciste con tu grupo en la sección de la Estrategia 3. ¿Cuántos fueron a la iglesia por primera vez a causa de una invitación personal, de un familiar, de un volante? ¿Cuántos llegaron por su propia cuenta, porque escucharon un anuncio en la televisión o en la radio, o por algún otro motivo?

¿Qué significan las respuestas recibidas respecto al método más eficaz para la evangelización?

2. ***Una invitación es más efectiva cuando Dios nos da valentía.*** A la mayoría de nosotros no nos gusta el rechazo. No nos gustaba cuando estábamos en la escuela, y todavía no nos gusta. Pero la posibilidad de ser rechazados es parte del riesgo que se corre al invitar a alguien a la iglesia. En esos momentos es bueno recordar las tres cosas que Dios prometió que te daría, según Mateo 10:

- vers. 1: Dios te ha dado autoridad. No estás solo. Él te envía.
- vers. 5: Dios te ha dado instrucciones. Él te ha proporcionado un modelo a seguir en su Palabra.
- vers. 19, 20: Dios te dará las palabras. No son tus palabras. Él te dará las palabras adecuadas, en el momento adecuado, para las personas adecuadas.

3. *Una invitación es más efectiva cuando se sabe el "porqué".* La invitación que estás a punto de hacer tiene estos beneficios: puede cambiar una vida, puede transformar la historia de una familia, y puede hacer avanzar el reino de Dios. Los discípulos sabían por qué predicaban. Nuestros pioneros sabían por qué fueron llamados. La persona que te trajo a la iglesia sabía por qué te invitaba. ¿Sabes por qué invitas? ¿Tienes clara la misión que Dios te ha encomendado?

Participación

Esta semana, invita a la iglesia a las cinco personas en quienes pensaste. Idealmente, una serie de reuniones de evangelización debe estar empezando muy pronto en un lugar cerca de ti, pero aunque no sea así, invítalos a la iglesia, a un grupo pequeño, a un retiro, etc. Cuando ores, recuerda este texto durante esta semana: "El Espíritu y la esposa dicen: 'Ven'. Que todos los que oyen esto, digan: 'Ven'. Todos los que tengan sed, vengan. Todo aquel que quiera, beba gratuitamente del agua de la vida" (Apocalipsis 22:17).

---

*Thom S. Rainer, *The Unchurched Next Door: Understanding Faith Stages as Keys to sharing Your Faith* (Grand Rapids, MI: Zondervan Press, 2003), p. 23.

Estrategia #6

Transforma

Toda la gente de Judea, incluidos los habitantes de Jerusalén, salían para ver y oír a Juan; y cuando confesaban sus pecados, él los bautizaba en el río Jordán. Marcos 1:5.

Numerosas multitudes lo seguían a todas partes: gente de Galilea, de las Diez Ciudades, de Jerusalén, de toda Judea y del oriente del río Jordán. Mateo 4:25.

Inspiración

"Cada verdadero discípulo nace en el reino de Dios como misionero. El que bebe del agua viva, llega a ser una fuente de vida. El que recibe llega a ser un dador. La gracia de Cristo en el alma es como un manantial en el desierto, cuyas aguas surgen para refrescar a todos, y da a quienes están por perecer avidez de beber el agua de la vida" (Elena G. de White, *El Deseado de todas las gentes,* p. 166).

Transformación

1. La evangelización, cuando se hace correctamente, es una manera efectiva y comprobada de ayudar a la gente a entender el plan de Dios para la transformación de sus vidas. Evangelizar es cuando la iglesia dice: "Haré *todo* lo posible, con el fin de salvar a *todos*". El evangelismo se define como un ardiente celo misionero, por una causa. Nota y contrasta la misión de Jesús con las obras del maligno, de acuerdo con Lucas 19:10 y Juan 10:10.

   El propósito de Dios: ______________________________

   El propósito de Satanás: ____________________________

   ¿Qué imágenes, palabras o recuerdos vienen a tu mente cuando piensas en la evangelización? Para algunos, la palabra "evangelización" tiene una connotación negativa. ¿Por qué crees que es así? Algunos dicen que la evangelización está en decadencia. ¿Es así? ¿O es que el concepto sigue siendo válido, pero el método puede y debe mejorar?

2. Según un estudio reciente, la Iglesia Adventista es la iglesia de más rápido crecimiento en América del Norte, con un aumento de 2,5 porciento al año.*

   Cuando lees noticias como estas, ¿qué te dicen acerca de la importancia de mantener una mentalidad evangelizadora? Alguien ha dicho: "El evangelismo público puede que no sea el mejor método del mundo, pero no he visto un método mejor". ¿Estás de acuerdo con esa afirmación? ¿Cómo podemos alegrarnos con nuestro crecimiento como adventistas y, sin embargo, permanecer humildes y activos, conscientes de que todavía estamos muy lejos de donde tenemos que estar?

3. El proceso de evangelización no es complicado. Hay muchos ejemplos bíblicos de personas que compartieron su fe. El capítulo 8 del libro de los Hechos nos da un ejemplo muy bueno para un proceso de evangelización efectivo:

   - Sé sensible a la dirección de Dios (vers. 26, 29).
   - Haz buenas preguntas (vers. 30).
   - Comparte la Palabra de Dios (vers. 35).
   - Manten a Jesús como el tema central (vers. 32-33).
   - Trabaja en pos de una decisión (vers. 36-38).
   - Repite hasta que Jesús venga (vers. 40).

   ¿Qué parte del proceso es más fácil para ti? ¿Cuál es el más difícil? ¿Por qué?

4. Así como una misma talla de ropa no sirve para todos, para evangelizar hay diferentes modelos bíblicos. Sea cual fuere nuestro método,

hemos de llevar un estilo de vida misionero. En el libro de los Hechos leemos que se emplearon muchos y muy diferentes métodos para alcanzar a las personas, y el evangelio se esparció rápidamente.

Diferentes personajes tenían diferentes estilos:

- Pedro: predicador directo. *Hechos 2:37, 38.*
- Pablo: trabajador esforzado, predicador itinerante, con el don de desarrollar a otros líderes. *Hechos 14:1, 15:40, 16:1.*
- Dorcas: con su servicio, le mostró a Jesús a la gente. *Hechos 9:36.*

Se utilizaron diferentes estilos en diferentes lugares:

- En una cárcel. *Hechos 16:29-31.*
- En una carroza. *Hechos 8:29, 30.*
- Debajo de un árbol. *Hechos 16:13.*

Con diferentes personas se utilizaron diferentes estilos:

- Un extranjero. *Hechos 8:27, 28.*
- Una familia. *Hechos 16:32.*
- Una mujer de negocios. *Hechos 16:14, 15.*

La principal lección de los textos que acabamos de leer es simplemente esto: Evangelizar es para cualquiera, en cualquier lugar, por diversos métodos, con el mismo propósito: compartir las Buenas Nuevas con la gente de nuestra comunidad.

5. Toma un momento para leer los siguientes versículos. La mayoría pueden ser conocidos para ti, pero léelos de nuevo, como si fuera la primera vez. ¿Qué significa el pasaje para ti en el contexto de la transformación de tu comunidad:

- Marcos 5:18-20
- Hechos 8:39, 40
- Hechos 2:39-41

Aplicación

Hay tres principios importantes que podemos aprender de esta lección:

1. ***Deseo de compartir, no estrategia perfecta.*** Para ser un evangelista efectivo, debes recordar que la clave es tener el deseo de compartir a Jesús, no esperar a tener la estrategia perfecta. Algunas personas están a la espera de una fecha futura para comenzar a compartir su fe cuando sepan más, cuando se comporten mejor, cuando la vida sea más tranquila, cuando hayan "perfeccionado" su método. No esperes hasta mañana, comparte tu fe hoy. ¿Qué te esta impidiendo en este momento compartir tu fe? ¡Sé específico!

2. ***Transformación de vida, no solo información religiosa.*** Si queremos que las personas sean transformadas, deben "experimentar la verdad", no solo escuchar la verdad. Dios quiere tocar la mente y el corazón. ¿Cuál es el peligro de solo descargar información bíblica, sin que las personas puedan tener la experiencia de la salvación? ¿Cuál sería el peligro de solo buscar una experiencia emocional? Si bien es cierto que la transformación ocurre en la intersección de la verdad y la experiencia, ¿cómo podemos buscar un equilibro entre la experiencia y la verdad en nuestras iglesias y en la manera en que evangelizamos?

3. ***Paciencia, no presión.*** El evangelismo no es fácil. La gente no siempre termina lo que comienza, cambia rápidamente, ni actúa de maneras que nos gustarían. Por lo tanto, sé paciente. Invita, pero no fuerces. Haz pedidos, no exijas. Sé paciente y, a su debido tiempo, verás los resultados. ¿En qué área de tu vida o con cuál persona estás impaciente y desanimado, debido a que no ves progresos o cambios?

Participación

Esta semana, cada mañana, cuando te despiertes, recuerda que eres un evangelista. Vive pensando que Dios va a abrir puertas, y aprovecha las oportunidades de compartir tu fe. Recuerda, tu objetivo es ayudar a las personas a que lleguen a la ciudad celestial.

"Entonces vi un cielo nuevo y una tierra nueva, porque el primer cielo y la primera tierra habían desaparecido y también el mar. Y vi la

ciudad santa, la nueva Jerusalén, que descendía del cielo desde la presencia de Dios, como una novia hermosamente vestida para su esposo. Oí una fuerte voz que salía del trono y decía: '¡Miren, el hogar de Dios ahora está entre su pueblo! Él vivirá con ellos, y ellos serán su pueblo. Dios mismo estará con ellos'" (Apocalipsis 21:1-3).

---

* G. Jeffrey MacDonald, "*Adventists' back-to-basics faith is fastest growing U.S. church*", *USA Today*, 17 marzo 2011, en https://usatoday30.usatoday.com/news/religion/2011-03-18-Adventists_17_ST_N.htm.

PARTE III: TEMPORADA DE SERVICIO

26 días de devocionales y actividades de servicio

Cómo usar esta sección

1. Propósito:

Esta sección está diseñada para motivar, educar y ofrecer a cada miembro la oportunidad de responder al llamado de ser las manos y los pies de Jesús sirviendo a su comunidad. Debe ser usada como una actividad general para cada iglesia.

2. Lección diaria:

Cada lección está diseñada en tres partes:

1. ***Salir preparado:*** Siempre comenzamos estudiando la Palabra. No se puede obviar. Léela cuantas veces sea necesario. Internalízala, cree y compártela.
2. ***Obedecer:*** Esta parte contiene principios que debemos aprender. Están relacionados con los versículos que leemos diariamente. Son aplicaciones cortas, prácticas y bíblicas.
3. ***Saber compartirlo:*** La última parte de cada lección transforma lo que aprendemos en acción. Hemos sido educados en el nivel del conocimiento de la obediencia, pero si solo leemos y no servimos, este recurso tendría solo un uso parcial. Cada día tendrás tres opciones de actividades de servicio para ese día. Puedes escoger uno o más de uno. También hay una lista adicional de cien proyectos de servicio que puedes realizar individualmente o con tu grupo pequeño. Lo encontrarás en el Apéndice.

3. Celebración

Al finalizar la temporada de servicio debe haber un día de *Celebración en servicio*. Es el último paso al final de las cuatro semanas. Ese sábado es ideal para invitar a los líderes cívicos locales para que conozcan los proyectos que la iglesia ha realizado en favor de la comunidad. ¡Es un día emocionante!

Día 1

Libertad

Salir preparado

"El Espíritu del Señor Soberano está sobre mí, porque el Señor me ha ungido para llevar buenas noticias a los pobres. Me ha enviado para consolar a los de corazón quebrantado y a proclamar que los cautivos serán liberados y que los prisioneros serán puestos en libertad". Isaías 61:1.

Obedecer

Podemos aprender tres lecciones de este texto:

1. Cada uno de nosotros tiene problemas que enfrentar. Drogas, alcohol, pornografía, chismes, irritabilidad, adicción al trabajo, al sexo inapropiado, al materialismo o al legalismo. No solo se trata de una larga lista de pecados, sino de la triste realidad que afronta el ser humano. Somos malos desde que nacemos, y con el tiempo empeoramos. El primer paso para sentirse libre es reconocer lo que nos aprisiona. Debemos orar y confesar nuestras debilidades delante del Señor. De la misma manera que has recibido la gracia de parte de Dios, ofrece esa gracia a aquellos que están dominados por algún pecado. Recuerda que la gracia es un regalo que Dios te dio.

2. Todos podemos ser libres. Dios tiene la respuesta para cualquier pregunta. Tiene la solución para cualquier necesidad. Sin importar las heridas, el Señor Jesús tiene la cura. La libertad no es para los privilegiados ni para unos pocos, sino para todos, especialmente para ti. ¿Puedes creer que la ayuda divina no discrimina a nadie, sin importar cuán profunda sea su adicción o su defecto? No. Todos podemos ser libres. Todos.

3. La libertad es un proceso. La Biblia declara que requiere tiempo ser declarado libre. Comienza con la justificación, y hasta el momento en que comienzas a ver los resultados, la santificación. Es como caminar en tierra firme después de haber estado en un bote. Por un momento sientes que estás todavía en el mar, pero estás en tierra. Es un sentimiento real, pero temporario. El hecho de que todavía sientas las cadenas de la opresión en tus tobillos no significa que las tienes ahí. Ahora eres libre. Créelo. Esto te ayudará a ser paciente con los demás. No te compares con ellos ni los critiques porque sus pecados son diferentes a los tuyos. Todos estamos en un gran viaje y tenemos que animar a otros en su camino.

Saber compartirlo

Probablemente conoces a personas que están lidiando con una adicción. Comunícate y diles que puedes hablar y orar con ellos.

Mi oración de hoy:

Ora para que Dios rompa las cadenas de la adicción de quienes están atrapados; y ora por los afligidos, porque crees que pueden ser libres.

Reflexión personal:

Puedo ser libre cuando...

Día 2

Riesgo

Salir preparado

Jesús subió a una barca y regresó al otro lado del lago, a su propia ciudad. Unos hombres le llevaron a un paralítico en una camilla. Al ver la fe de ellos, Jesús le dijo al paralítico: "¡Ánimo, hijo mío! Tus pecados son perdonados". Entonces algunos de los maestros de la ley religiosa decían en su interior: "¡Es una blasfemia! ¿Acaso se cree que es Dios?". Mateo 9:1-3.

Obedecer

Jamil corre riesgos. Es un gimnasta experimentado. Cree que cuando hace las piruetas su cabeza no caerá al suelo. A esto se le llama riesgo. Esto es fe. En Mateo 9 vemos cómo algunas personas se arriesgaron y fueron bendecidas por Jesús. Estos cuatro hombres hicieron un agujero en el techo de una casa ajena. El resultado fue *la sanidad*. Mateo se arriesgó cuando dejó todo lo que tenía para seguir a Jesús. El resultado fue *el crecimiento*. La mujer que sufría de un constante flujo de sangre se arriesgó al tocar el borde del manto de Jesús. El resultado fue *un milagro*. Dos ciegos corrieron riesgos cuando le gritaban a Jesús que viniera mientras los demás les decía que se callaran. El resultado fue *la vista*. ¿Ves el patrón? ¿Qué podemos aprender de estas historias?

1. Ayudar a la gente es arriesgado. No quiero imaginar cómo se sentiría el dueño de la casa cuando vio ese gran agujero en el techo. Los amigos del paralítico entendieron que Dios no vino a preservar estructuras, sino a salvar personas. El asunto no es si es riesgoso; el asunto es si es un mandato bíblico que merece ser seguido.

2. La crítica sigue al riesgo. No todo el mundo aprecia el ministerio de servicio. A veces los más cercanos a ti son los que te critican.

Los fariseos no ayudaban a nadie, pero criticaban al que servía. Que no te desanime la crítica. Esa es la lija que Dios usa para suavizar su obra de arte. Lo único que, consistentemente, nos lleva cerca de Dios es correr riesgos, porque entonces vemos la intervención milagrosa de Dios.

3. Dios honra a los que se arriesgan. Esto es un hecho. La pregunta es: ¿Honrará Dios los riesgos que corres hoy?

Saber compartirlo

Acciones para el día de hoy:

1. En vez de solo pensarlo, felicita en público a una persona que haya hecho algo loable.
2. Dale a un extraño un CD que contenga una canción alegre o una tarjeta con un mensaje de aliento.
3. Pregúntale a alguien: "¿Cómo estás?" Y escúchalo detenidamente.

Mi oración de hoy:

Señor, ayúdame a tener valor, y disipa todos mis miedos para servirte.

Reflexión personal:

Después de haber hablado del amor de Jesús con un desconocido...

Día 3

Miedo

Salir preparado

Por último se presentó el siervo que tenía una sola bolsa de plata y dijo: "Amo, yo sabía que usted era un hombre severo, que cosecha lo que no sembró y recoge las cosechas que no cultivó. Tenía miedo de perder su dinero, así que lo escondí en la tierra. Mire, aquí está su dinero de vuelta". Mateo 25:24, 25.

Obedecer

¿Qué pensarías si supieras que fracasar no es posible? Te recomiendo que tomes tiempo para leer Mateo 25. Es un capítulo muy especial. Una de las historias trata acerca de tres personas a quienes se les dio dinero. Dos invirtieron el dinero y obtuvieron ganancias, el otro no obtuvo nada. Lo que dijo es revelador: "Tenía miedo". El miedo lo paralizó. Y el miedo puede hacer lo mismo con nosotros. He aquí algunas lecciones que nos brinda ese pasaje:

1. Nuestra percepción de Dios afecta nuestra tolerancia al riesgo. Si miramos a Dios como alguien disgustado, enfadado, que pretende condenarnos, y no vemos la gracia que se refleja en su carácter, nuestro servicio hacia él irá en picada. Esa realidad afectará directamente a las personas que nos rodean, porque nuestros dones y talentos nos fueron dados para favorecer a otros, no para ser ocultados o escondidos.

2. Si Dios te ha dado un talento, él espera ganancias de su inversión. En caso de que no lo notaras, los cinco talentos que te dio, o tal vez te dio dos o por lo menos uno, todos le pertenecen. ¿Cómo no vas a agradecerle por el talento que te dio sirviéndo a otros?

3. Dios nunca te ha llamado a ser alguien distinto a lo que tú eres. Si eres una persona de dos talentos, Dios no quiere que actúes como si fueras una de cinco o de uno. Él no quiere que *lo seamos todo* o que *lo hagamos todo*. Él quiere que *hagamos algo*. Servimos sin importar la cantidad de talentos que tengamos. No los escondas.

Saber compartirlo

Hoy haremos lo siguiente:

1. Cuando salgas de un estacionamiento donde haya parquímetros, deposita más monedas para beneficio de la siguiente persona que usará el estacionamiento.
2. Deja algunas monedas en la máquina de vender agua o dulces.
3. Compra alimentos para el banco de comida más cercano.

Mi oración para hoy:

Algo pasará hoy cuando pruebes tu fe. Ora de la siguiente manera: *Señor, ayúdame a estar listo para intentar hacer algo nuevo.*

Reflexión personal:

Hoy pude superar uno de mis mayores miedos, el miedo a...

Día 4

Afuera

Salir preparado

No tenían hijos porque Elisabet no podía quedar embarazada y los dos eran ya muy ancianos. Lucas 1:7.

Obedecer

Una de las satisfacciones más grandes que he obtenido como padre es ver a mi hijo Jonatán jugando béisbol, y a mi hija Vanessa jugando softbol. Ambos tienen talento para el deporte, pero a veces "se ponchan". Tres *strikes* significa que vas a la banca. Fallaste. ¡Estás *out*! El texto de hoy forma parte de la crónica de un gran milagro. Dios llama a personas en situaciones que no son las ideales para alcanzar lo difícil y lo imposible. Elisabet y Zacarías tuvieron tres *strikes* y también aprendieron tres lecciones:

- *Vejez* (tú sabes lo quiero decir...). Dios nos llama en cualquier momento de nuestra vida.
- *Infertilidad* (no poder concebir). Dios trabaja con nuestras imposibilidades.
- *Incredulidad* (no creer en lo imposible) Dios llama a personas que no tienen una fe perfecta.

Dios toma gente con problemas de infertilidad y nueve meses después los convierte en padres. Dios toma a uno que no habla egipcio con fluidez y lo convierte en líder de una nación. Dios toma a una mujer "fácil" y la convierte en un ser humano lleno de virtudes. Seguramente tiene un milagro para ti. *No te quedarás afuera.* Recuerda este pasaje: "Dios escoge a las personas tal y como son... Ellos no son escogidos porque son perfectos, pero, no obstante sus imperfecciones, a través del conocimiento y la práctica de la verdad, a través de la gracia de Cristo, ellos son transformados a su imagen" (Elena G. de White, *El Deseado de todas las gentes*, p. 261; paráfrasis del autor).

Saber compartirlo

Escoge una de las siguientes actividades:

1. Prepara una comida para una persona que no tenga hogar.
2. Sonríe a otros más de lo acostumbrado.
3. Llama a tu mamá o a un miembro de tu familia y dile que lo amas.

Mi oración para el día de hoy:

Padre, creo que puedes llamarme a tu servicio a pesar de mi ____________________. Gracias por elegirme. Prometo servirte y servir a otros.

Reflexión personal:

Cuando le sonreí a una persona, su reacción fue...

Día 5

Valor

Salir preparado

Entonces Jesús les dio permiso. Los espíritus malignos salieron del hombre y entraron en los cerdos, y toda la manada de unos dos mil cerdos se lanzó al lago por el precipicio y se ahogó en el agua. Marcos 5:13.

Obedecer

Esta historia me fascina. Un muchacho aterroriza a toda la comunidad. Jesús no solo sacó un demonio de ese muchacho, sino por lo menos dos mil. Piénsalo: ¡más de dos mil demonios! ¿Cómo se siente una persona cuando es liberada de dos mil demonios? De esta historia podemos aprender:

1. La gente vio al muchacho sano, pero le preocupaban más los cerdos que la situación personal del joven. Hoy ocurre lo mismo. Usamos a las personas y amamos las cosas. Nos preocupamos por lo que la gente puede hacer por nosotros para que tengamos ventajas materiales. Eso es preocuparse por los cerdos más que por la gente.

2. Cualquier persona puede ser restaurada. Este joven tenía asuntos pendientes con su familia, finanzas, amigos, relaciones, salud, y lo más importante, tenía que restaurar su espiritualidad. No hay persona que esté tan lejos que Dios no la pueda alcanzar. Yo tenía un amigo en la escuela superior que había perdido una oreja. Sus compañeros se burlaban de él. Entonces lo invité a pasar un fin de semana en mi casa. Con todas las cosas tontas que hice en la escuela, esa fue una buena acción que siempre recuerdo.

3. Amemos a las personas, no a los cerdos. A veces usamos a las personas y amamos las cosas. El acto de servir nos ayuda a entender que Jesús no viene por los bancos de la iglesia, las llaves de la cocina de la iglesia o el color de las paredes de la iglesia. ¡Viene por las *personas*! La gente es más valiosa que esas cosas. Si vamos a decidir, decidamos por la gente.

Saber compartirlo

Escoge una o más de las siguientes actividades:

1. Envía una nota de aliento a alguien que es rechazado por los demás.
2. Compra o elabora una sábana, colcha o cobija para una persona sin techo.
3. Si estás en la lavandería pública, deja algunas monedas para la próxima persona sobre la lavadora o la secadora.

Mi oración de hoy:

Jesús, capacítame hoy para amar a las personas por encima de las posesiones, y ayúdame a demostrar mi interés por los demás cuando les sirva.

Reflexión personal:

Cuando me preocupo por las cosas y no por la gente, pienso que...

Día 6

Servicio

Salir preparado

"Existe la necesidad de acercarse a la gente a través del esfuerzo personal. Si se dieran menos sermones y se invirtiera más tiempo en el ministerio personal, se verían grandes resultados. Los pobres se verían *aliviados*, los enfermos serían *cuidados*, los que lloran serían *reconfortados*, los ignorantes serían *instruidos* y los que tienen falta de experiencia, *aconsejados*. Lloramos con los que lloran y nos regocijamos con el que se regocija. Acompañados del poder de la persuasión, el poder de la oración y el poder del amor de Dios, *esta obra no será ni podrá ser sin frutos*" (*El ministerio de curación*, p. 102; paráfrasis del autor).

Obedecer

Esta cita relaciona directamente el evangelismo con el servicio. Recordemos los siguientes principios:

1. Un estilo de vida de servicio es parte de la expectativa divina. Es importante entender que Dios no te va a preguntar si sabes todas las profecías; su pregunta será: ¿Qué hiciste por los que necesitaban ayuda? (Mateo 25:34-36).

2. Un estilo de vida de servicio nos mueve de la zona de comodidad. Esto es más que superar una barrera, es llegar a los que no desean oírnos. Eso incluye a los que no quieren ver, creer, hablar o actuar como nosotros. ¡Eso incluye a nuestros enemigos! (Mateo 5:46-48).

3. Un estilo de vida de servicio rompe barreras. Se trata del amor que puede superar todo. Cuando expresamos amor, derribamos las barreras preconcebidas que se tienen acerca de la iglesia y de Dios. La mayoría de las personas piensa que la iglesia es un sitio para pedir y dar cosas. El servicio destruye esa percepción errónea.

Saber compartirlo

Recuerda que hay 37 milagros de Jesús registrados en los Evangelios, y solo hay registro de un sermón suyo (Mateo 5-7). ¿Recuerdas la cita inicial? "Si se dieran menos sermones y se invirtiera más tiempo en el ministerio personal, se verían grandes resultados".

Mi oración de hoy:

Señor, ayúdame a predicar más con acciones que con palabras.

Reflexión personal:

La gran barrera que rompí hoy fue...

Día 7

Interrupción

Salir preparado

¿Quién ha hecho obras tan poderosas, llamando a cada nueva generación desde el principio del tiempo? Soy yo, el SEÑOR, el Primero y el Último; únicamente yo lo soy. Isaías 41:4.

Obedecer

Estuve muy ocupado con un artículo que estaba escribiendo. Y cuando estaba más concentrado, mi hijo se acercó y me preguntó si podíamos jugar básquetbol. ¡Interrupción! Muchos lo vemos como un suceso negativo que mueve nuestro calendario, pero no tiene por qué ser así. Existen tres principios que nos ayudan a ver las interrupciones como aliadas:

1. Puedes ver las interrupciones como algo molesto, pero Dios no. Definimos las interrupciones como "cortar la continuidad de algo en el lugar o en el tiempo" (*Diccionario de la Real Academia Española*). Si miramos a Jesús como nuestro Modelo, veremos su reacción a las interrupciones. Jesús bendijo niños y sanó enfermos después de ser interrumpido. Tal vez una interrupción sea el momento perfecto para un milagro de Dios.

2. Con un acto de sumisión, somete tu calendario a la voluntad de Dios. Alguien dijo que si quieres ver la sonrisa de Dios, debes decirle cuáles son tus planes definitivos. Somete tu agenda a Dios. Tú no estás en el asiento del conductor, estás en el del pasajero, y Jesús conduce por el camino de tu vida. Debes esperar interrupciones. A veces, como consecuencia de las interrupciones, recibimos milagros.

3. En vez de pensar en cómo la interrupción te afecta, piensa en cómo esta puede ser provechosa para los demás. Dios nos llama a hacer una pausa y mirar la interrupción no como una piedra en el zapato, sino como la oportunidad de ayudar a otros que tal vez no tienen zapatos. No utilicemos a nadie para alcanzar nuestros sueños; ayudemos a otros a alcanzar los suyos. Recuerda: "Cuando nuestros planes fallan, los planes que Dios tiene para nosotros nos llevan a la victoria" (Elena G. de White, *Ayuda en la vida cotidiana*, p. 6).

Saber compartirlo

1. Llama a alguien con quien no has hablado durante mucho tiempo.
2. Dale a alguien una flor, o mejor, una docena.
3. Si estás utilizando un medio de transporte colectivo, cede tu lugar a alguien más.

Mi oración:

Señor, toma mi calendario y mi agenda, y capacítame para cumplir tu agenda. Convierte las interrupciones en un aliado para mí. ¡Amén!

Reflexión personal:

Mi última interrupción se convirtió en una bendición cuando...

Día 8

Más

Salir preparado

Entonces Pedro comenzó a hablar. —Nosotros hemos dejado todo para seguirte —dijo. —Así es —respondió Jesús—, y les aseguro que todo el que haya dejado casa o hermanos o hermanas o madre o padre o hijos o bienes por mi causa y por la Buena Noticia recibirá ahora a cambio cien veces más el número de casas, hermanos, hermanas, madres, hijos y bienes, junto con persecución; y en el mundo que vendrá, esa persona tendrá la vida eterna. Pero muchos que ahora son los más importantes en ese día serán los menos importantes, y aquellos que ahora parecen menos importantes, en ese día serán los más importantes. Marcos 10:28-31.

Obedecer

Una de las preguntas que nos hacemos cuando seguimos a Cristo es, ¿realmente vale la pena? Cuando Cristo nos llama a servir a otros, implica dejar algunas cosas que amamos. Cristo le señaló a Pedro tres cosas que tenía que dejar para seguirlo: casa, familia y propiedades. Tal vez el Señor te pida esto también:

1. *Casa.* La seguridad de saber dónde vivirás.
2. *Familia.* La seguridad de estar cerca de aquellos que amas.
3. *Propiedades.* La seguridad financiera.

Si estás dispuesto a dejar estas cosas, grandes bendiciones te sobrevendrán; la más valiosa es la vida eterna. Esa es nuestra principal motivación. Todo lo demás caduca: las propiedades, posesiones y otras cosas serán consumidas por el fuego cuando Cristo venga. No obstante, nuestra salvación y la de los demás es una prioridad. No servimos solo para suplir las necesidades de la gente; servimos porque queremos que la gente también sea salva. Recuerda: "Nuestro Padre celestial tiene mil maneras de las cuales nada sabemos. Los que aceptan el principio sencillo de hacer del servicio de Dios el asunto supremo, verán desvanecerse sus perplejidades y extenderse ante sus pies un camino despejado" (Elena G. de White, *Ayuda en la vida cotidiana,* pp. 21, 22; paráfrasis del autor).

Saber compartirlo

1. Prepara algunas galletas o panes horneados para obsequiar a los vecinos.
2. Abraza a los tuyos sin tener un motivo específico.
3. Prepara un desayuno para tu cónyuge.

Mi oración:

Señor, ayúdame a no mirar los inconvenientes de la vida, y a reconocer las consecuencias de servirte y de servir a los demás. ¡Amén!

Reflexión personal:

Después de haber hecho la actividad en servicio pienso que...

Día 9

Perdonar

Salir preparado

Cuando estén orando, primero perdonen a todo aquel contra quien guarden rencor, para que su Padre que está en el cielo también les perdone a ustedes sus pecados. Marcos 11:25.

Obedecer

Lo recuerdo muy bien. Oí a alguien hablar mal de mi padre. Yo estaba en la escuela superior y todo el día estuve irritado. No lo pude sacar de mi cabeza, y decidí actuar: Después que terminaron las clases, a la salida, le di una bofetada a ese compañero. Eso fue muy torpe de mi parte. Hoy es uno de mis amigos en *Facebook*, pues me perdonó, y cuando recuerdo la decisión que tomé aquella vez, me arrepiento de lo que hice. Jesús nos enseñó a servir, y eso incluye a las personas con quienes no simpatizamos. ¿Por qué es importante perdonar y servir a los que nos hieren? Es importante perdonar siempre, aun en esta áreas:

- Perdonamos y servimos aun cuando otros nos hieren intencionalmente.
- Perdonamos y servimos aun cuando nos infligimos dolor.
- Perdonamos y servimos aun cuando alguien que tiene autoridad nos haga daño.

El perdón no siempre significa restablecimiento de la relación, sobre todo si hay daño físico o emocional, sino amar y ayudar al rival independientemente del daño que nos haya hecho. ¿A quién necesitas perdonar hoy? ¿A quién puedes pagar bien por mal en este día por medio del servicio?

Saber compartirlo

1. Practica la paciencia.
2. Evita los chismes. Habla bien de los demás.
3. Pórtate como si el vaso está medio lleno, no medio vacío.

Mi oración:

Señor, yo sé que perdonar no es fácil, pero es necesario. Ayúdame a servirle especialmente al que no tiene una buena relación conmigo. Amén.

Reflexión personal:

Después de perdonar me siento...

Día 10

Fariseos

Salir preparado

Jesús también enseñó: "¡Cuídense de los maestros de la ley religiosa! Pues les gusta pavonearse en túnicas largas y sueltas y recibir saludos respetuosos cuando caminan por las plazas. ¡Y cómo les encanta ocupar los asientos de honor en las sinagogas y sentarse a la mesa principal en los banquetes! Sin embargo, estafan descaradamente a las viudas para apoderarse de sus propiedades y luego pretenden ser piadosos haciendo largas oraciones en público. Por eso serán castigados con más severidad". Marcos 12:38-40.

Obedecer

La Escritura manifiesta que Dios no solo cuida a los que sirven, sino porque sirven. Los fariseos ayudaban a otros con el fin de conseguir algo de esas personas. Por lo menos había tres problemas con los fariseos.

1. Les encantaba que la gente los reconociera. Nuestra gloria y reconocimiento siempre deben darse solo a Jesús. Los fariseos querían ser reconocidos por lo que habían hecho. Cuando sirvas, no digas lo bueno que eres; más bien, comenta en todo momento lo bueno que es Jesús.

2. Se preocupaban aun por las cosas más pequeñas. El texto nos muestra que los fariseos se preocupaban más por la opinión de la gente que por ayudar al que estaba en necesidad. ¿Sucede lo mismo en tu vida, en tu congregación o en tu familia? ¿Te preocupas más por la gente que está lejos de Dios que por un grupo de amigos de la iglesia? El problema de las iglesias no es que seamos amistosos, es que somos amistosos con nosotros mismos. ¡Es hora de cambiar!

3. Su vida personal era un desastre. En público simulaban, en privado estafaban. Todavía no he visto a un fariseo transparente. Tendemos a criticar en público lo malo que hacemos en privado. La solución para este problema complejo es aceptar y extender la gracia en vez de la crítica, especialmente con los que no lo merecen.

Saber compartirlo

1. Elogia con sinceridad a un extraño.
2. Haz una tarea por otra persona sin que te reconozcan.
3. Dale un regalo extraordinario a otra persona.

Mi oración:

Señor, ayúdame a preocuparme por lo verdaderamente importante: amarte a ti; y a preocuparme por tus hijos ofreciéndoles ayuda. Ayúdame a encauzar el reconocimiento hacia otros, sobre todo, a ti.

Reflexión personal:

Una persona a quien me gustaría reconocer por su labor es...

Día 11

Regreso

Salir preparado

La venida del Hijo del Hombre puede ilustrarse mediante la historia de un hombre que tenía que emprender un largo viaje. Cuando salió de casa, dio instrucciones a cada uno de sus esclavos sobre el trabajo que debían hacer, y le dijo al portero que esperara su regreso. Marcos 13:34.

Obedecer

¡Jesús volverá otra vez! Esa frase les causa miedo a algunos, felicidad a otros y bostezos a otros más. El texto de hoy nos anima a hacer tres cosas:

1. Mantente ocupado. Algunas personas se dedican a informar a otras sobre teorías conspiratorias. Cristo dice: "Manténganse ocupados". Tu trabajo no es saber lo que va a pasar, sino entender lo que está pasando.

2. Mantente alerta. La venida de Jesús puede suceder en cualquier momento. Si notas el significado del texto, el asunto es que si llega la noche (tiempo para dormir), tienes que estar alerta y no relajado como uno estaría. No te relajes. Mientras llega el momento, ocúpate. Observa y ora.

3. Mantente a la expectativa. Puede suceder este año. Puede suceder dentro de diez años. La expectativa mantiene viva nuestra esperanza y provee fuerza en medio de las luchas espirituales.

Mi padre viajó muchísimas veces. Una vez, cuando regresaba a nuestro hogar en Cayey, Puerto Rico, dentro de una caja pequeña me trajo un reloj. Yo estaba muy agradecido y muy feliz de haber recibido el regalo. Solo pienso en el día cuando mi Salvador regrese otra vez a esta tierra, y no con una cajita pequeña sino con el regalo de la salvación en sus manos.

Saber compartirlo

1. Envía a un amigo una foto que le recuerde los viejos tiempos.
2. Escoge a alguien en el libro de direcciones en la guía telefónica y envíale un regalo.
3. Envíale a un sobrino o a un familiar un regalo de manera anónima.

Mi oración de hoy:

Mi Dios, miro adelante y hacia arriba esperando tu regreso. No tengo miedo, tampoco bostezo, sino que tengo esperanza. Ayúdame a mantenerme ocupado sirviendo a mi prójimo hasta que tú vengas. Amén.

Reflexión personal:

Al enviar un regalo me sentí...

Día 12

Sacrificio

Salir preparado

"Todos han oído la blasfemia que dijo. ¿Cuál es el veredicto?" "¡Culpable! —gritaron todos—. ¡Merece morir!" Entonces algunos comenzaron a escupirle, y le vendaron los ojos y le daban puñetazos. "¡Profetízanos!", se burlaban. Y los guardias lo abofeteaban mientras se lo llevaban. Marcos 14:64, 65.

Obedecer

El Evangelio según Marcos relata lo que le pasó a Jesús en sus últimos días antes de llevar la cruz. Habla del dolor y el sufrimiento que el Hijo de Dios tuvo que enfrentar. Es fácil leer y preguntarse: ¿Cómo es posible que se permitiera semejante crueldad? ¿Por qué nadie impidió este asesinato?" Pero la verdad es que quien lo hizo fui yo. Quien lo escupió fui yo. Yo lo golpeé, puse los clavos, y lo maté. Esa es la verdad del evangelio. Jesús decidió morir por mis mentiras, mis malos deseos, mi orgullo y mis otros pecados. Tomó mi castigo y me dio su gloria. No hay manera de pagar lo que él ha hecho por mí. Por lo tanto, debo hacerme tres preguntas:

1. ¿Por qué lo hizo? La respuesta es una sola palabra: amor. Eso impidió que él bajara de la cruz. ¿Pudiera ser que, en medio de toda la educación teológica disponible, nuestro conocimiento religioso y nuestra comprensión de las profecías, no entendamos el amor de Jesús al sacrificarse en nuestro lugar? Si Jesús no hubiera muerto, nuestra vida no sería vida, sino desgracia y desolación.

2. ¿Cómo lo hizo? ¿Cómo es posible considerar el sacrificio de Jesús y no estar dispuestos a sacrificarnos por otros? Toma tiempo diariamente para reflexionar en la cruz. Deja que la cruz sea tu motivación para servir. Él murió por nosotros, por eso cantamos y alabamos. Y es por eso que servimos.

3. ¿Cuándo lo haremos? Ahora que entendemos lo que es la salvación por la fe y solo por la fe, podemos tomar acciones positivas en el servicio. Sería desastroso ser salvados por gracia y compartir con otros la salvación por obras. Actuemos por amor.

Saber compartirlo

1. Dedica tiempo a a los ancianos.
2. Comparte tu receta secreta con una amiga.
3. Escribe una carta expresando aprecio a alguna persona.

Mi oración de hoy:

Señor de amor infinito, quiero darte gracias por el sacrificio de Jesús en mi favor. No quiero pedir nada, solo darte gracias.

Reflexión personal:

Después de contemplar el sacrificio de Jesús, pienso que...

Día 13

Tormentas

Salir preparado

Jesús estaba dormido en la parte posterior de la barca, con la cabeza recostada en una almohada. Los discípulos lo despertaron: "¡Maestro! ¿No te importa que nos ahoguemos?", gritaron. Marcos 4:38.

Obedecer

Hace tiempo, una tormenta afectó todo el sur del país. Las tormentas de la vida vienen en todos los tamaños y formas:

- Un diagnóstico de cáncer.
- Una ruptura familiar.
- Un hábito que nos conduce a tomar malas decisiones con peores consecuencias.
- Falta de ______________.

Las tormentas hacen tres cosas en nuestras vidas:

1. Revelan lo que pensamos acerca de Jesús. Los discípulos pensaban que Jesús no se preocupaba por ellos. A veces adoptamos la misma actitud. Le echamos la culpa a Dios por lo que nos pasa, y lo bueno lo atribuimos a la suerte.

2. Revelan quién realmente tiene el control de nuestra vida. Nosotros no, él sí.

3. Revelan el poder de Jesús. Él calmó el mar. También puede calmar el mar agitado de tu vida.

Hay personas alrededor de ti que están en medio de una tormenta. Las personas que tienen más fundamento espiritual serán más abiertas cuando enfrenten una crisis. Debemos aprender a acompañar a estas personas en sus aflicciones y servirles de apoyo.

Saber compartirlo

1. Preséntate a alguien que veas a tu alrededor.
2. Envíale dinero a alguien de forma anónima.
3. Invita a alguien que se sienta solo a cenar en tu casa.

Mi oración para el día de hoy

Padre, ayúdame a mirar con tus ojos a los que están pasando por tormentas, para proveerles apoyo, consuelo y consejo. Amén.

Reflexión personal:

Al ver a otros pasando por una tormenta de dificultades, pienso que...

Día 14

Críticos

Salir preparado

¿Con qué puedo comparar a esta generación? Se parece a los niños que juegan en la plaza. Se quejan ante sus amigos: "Tocamos canciones de bodas, y no bailaron; entonces tocamos canciones fúnebres, y no se lamentaron". Pues Juan no dedicaba el tiempo a comer y beber, y ustedes dicen: "Está poseído por un demonio". El Hijo del Hombre, por su parte, festeja y bebe, y ustedes dicen: "¡Es un glotón y un borracho y es amigo de cobradores de impuestos y de otros pecadores!" Pero la sabiduría demuestra estar en lo cierto por medio de sus resultados. Mateo 11:16-19.

Obedecer

Cuando le sirvas a la gente, seguramente serás criticado. Si eres intencional y persistente en alcanzar a los que Dios quiere alcanzar, entonces sufrirás el "fuego amigo". Los fariseos criticaron a Jesús y lo encontraron culpable por "asociación ilícita". Pero si Jesús hubiera tenido miedo a ser llamado culpable por asociación ilícita, entonces "debió haberse quedado en el cielo". Cuando seas criticado, debes recordar estos tres principios:

1. La gente que se queja constantemente, se comporta como los niños. Y si tú los oyes, entrarás en el juego de niños de ellos. ¿Te gustaría vivir con gente así?

2. Sin importar lo que hiciera, Jesús siempre fue criticado. Sigue adelante y sé la persona que responde al llamado de Dios. Serás más feliz, saludable, y al final estarás satisfecho.

3. Los resultados mostrarán la verdad. La sabiduría demuestra estar en lo cierto por medio de sus resultados. En otras palabras, no te defiendas, deja que los resultados hablen por sí mismos. No vivas de las opiniones de los demás.

Salir para compartir

1. Deja algunos sellos de correo a la próxima persona en la fila del correo.
2. Dona una hora de tus servicios profesionales.
3. Llévale un chocolate a un compañero de trabajo.

Mi oración de hoy:

Rey de reyes, ayúdame a ser la persona que me has llamado a ser, sin importar la oposición, la crítica o el chisme que deba enfrentar. Amén.

Reflexión personal:

Después de la última crítica que recibí, pienso que...

Día 15

Hermano

Salir preparado

Para ilustrar mejor esa enseñanza, Jesús les contó la siguiente historia: "Un hombre tenía dos hijos. El hijo menor le dijo al padre: 'Quiero la parte de mi herencia ahora, antes de que mueras'. Entonces el padre accedió a dividir sus bienes entre sus dos hijos. Pocos días después, el hijo menor empacó sus pertenencias y se mudó a una tierra distante, donde derrochó todo su dinero en una vida desenfrenada". Lucas 15:11-13.

Obedecer

Basados en la parábola del hijo pródigo, veamos tres cosas que el hijo mayor no hizo.

1. Él no detuvo a su hermano cuando se fue. En ningún momento de la historia lees que el hermano mayor orara, intercediera o hablara algo bueno de su hermano menor. Nunca lo llamó "hermano". Le llamó por otros nombres, inclusive "tu hijo", pero nunca "mi hermano". En lugar de actuar con indiferencia ante aquel que "deja la casa", debemos hacer hasta lo imposible (la parte que hace Dios) para que nuestro hermano se quede para siempre.

2. Nunca lo buscó cuando se fue. Es interesante notar que el hermano mayor fue específico cuando habló del estilo de vida que llevaba el hermano menor. Esto nos impulsa a preguntarnos: ¿Cómo lo sabía? ¡Qué fácil es juzgar desde lejos en vez de ir a rescatar al perdido! Recordemos que a Dios le importan los perdidos, y que sería muy difícil recibir a los que apuntas con el dedo.

3. No se alegró cuando volvió. He aquí el punto más importante. La Biblia dice que el mayor y más "santo" de los dos hermanos "se acercó" a la casa. ¡Qué terminología tan interesante! No se dio cuenta de que él también estaba lejos de la casa. Él también necesitaba la gracia. Él necesitaba entender que no se trataba de ser "tan malo", sino ser suficientemente malo para necesitar la gracia.

Saber compartirlo

1. Recolecta ropa para dar al necesitado.
2. Ten una conversación con una persona sin hogar.
3. Regálale un libro inspirador a una persona que esté pasando por un momento difícil.

Mi oración de hoy:

Dios, ayúdame a luchar por el que ha errado, a buscarlo y regocijarme con él. Amén.

Reflexión personal:

Después de darle ánimo a mi hermano en la fe, pienso que...

Día 16

Programas

Salir preparado

El Hijo del Hombre vino a buscar y a salvar a los que están perdidos. Lucas 19:10.

Obedecer

El devocional de hoy fue escrito de manera intencional para los líderes, los que hacen andar cada programa. Pero en este tiempo no necesitamos "hacer andar" los programas sin ningún propósito, especialmente cuando los preparamos sin pensar en el componente misional que deben tener. Recordemos al menos tres cosas:

1. Hay que tener una visión altamente comprometida por alcanzar a los perdidos. ¿Quieres alcanzar a tu ciudad? ¿Qué significa esto? ¿Sabes que alcanzar a aquellos que están perdidos en las ciudades significa que vendrán a tu iglesia, se sentarán al lado de tus hijos, irán a las actividades con aretes u olor a cigarrillo? La verdad es que muchas veces queremos alcanzar a los que les tenemos miedo. No podemos decir: "Queremos crecer, pero que no sean muchos".

2. Hay que tener las "ganas" de ser un líder en tu esfera de influencia. Si Dios te ha dado una visión, prosigue hasta llegar a la meta. Hay que asegurar que no cambiaremos la doctrina, los principios bíblicos ni los Diez Mandamientos. Cuando tengamos un objetivo misional, habrá una fuerte oposición a cualquier proyecto de evangelización. Entiéndanlo. El diablo odia la evangelización.

3. Hay que alinear la visión. Dentro de nuestros objetivos no debe haber visiones competitivas. Manténgase alejados del "por nosotros", "de nosotros", y al final del día "solo nosotros". Eso no es lo que Dios tenía en mente cuando creó la iglesia. Todo proyecto misional en la iglesia y fuera de ella tiene el siguiente orden de importancia: (1) Cristo (2) Ellos (3) Nosotros.

Saber compartirlo

1. Págale una comida al que está detrás de ti en el servi-carro.
2. Cómprale un postre a alguien que está comiendo solo.
3. Paga la cuenta de cualquier mesa en un restaurante.

Mi oración de hoy:

Padre, ayúdame a entender tu pasión por alcanzar la comunidad que me rodea con la Verdad y el Amor. Impúlsame a cumplir el plan que tienes para salvar al mundo. Amén.

Reflexión personal:

Al pensar en mis vecinos y en la misión que Dios me ha encomendado...

Día 17

La cueva

Salir preparado

Entonces David salió de Gat y escapó a la cueva de Adulam. Al poco tiempo sus hermanos y demás parientes se unieron a él allí. Luego, comenzaron a llegar otros —hombres que tenían problemas o que estaban endeudados o que simplemente estaban descontentos—, y David llegó a ser capitán de unos cuatrocientos hombres. 1 Samuel 22:1, 2.

Obedecer

¿Cómo puedes servir a los demás cuando tu vida es un desastre? El texto de hoy nos presenta a un futuro rey en una cueva con un montón de problemas en sus manos. Tenemos tres principios que nos ayudan, especialmente los que nos encontramos en una cueva.

1. Estar en una cueva es una experiencia única; hay que aprender de ella. Una de las experiencias que más me han impactado positivamente en el ministerio es ver a otras personas que están pasando por problemas que yo también he pasado. De manera que tengo la capacidad para decirles: "Todo estará bien". La vida en la cueva es una experiencia de aprendizaje. Crece y aprende de la experiencia. Cuando salgas victorioso de tus experiencias difíciles, ayuda a otros.

2. ¡Sal a servir! Nunca te sientas conforme dentro de la cueva. David se convirtió en líder con cuatrocientas personas en una cueva. Tienes que aprender a ser líder con los que tienes, no con los que te gustaría tener. Los líderes son termostatos. Ajustan la temperatura de todos. No dejes que las circunstancias determinen tu esfuerzo. Un líder da lo mejor de sí dondequiera que esté.

3. Busca a la gente que Dios te envía. Nunca los dejes solos. La vida tiene dificultades. Cuando estás en medio del caos, Dios siempre envía a alguien para ayudarte. A veces llegamos al punto de ignorar a los mentores, quienes nos pueden dar una perspectiva mejor de las cosas, nos ofrecen ánimo y nos recuerdan los logros alcanzados y lo que nos queda por hacer.

Saber compartirlo

1. Sé mentor de un joven.
2. Paga diez dólares de gasolina a otra persona.
3. Cómprale flores a la cajera que te atiende en el supermercado.

Mi oración de hoy:

Jesús, ayúdame a entender que todavía estoy a tu servicio, aunque esté pasando por situaciones difíciles. Ayúdame a servir, aunque esté en "la cueva". Amén.

Reflexión personal:

Cuando he servido a pesar de los problemas me he sentido...

Día 18

Conflicto

Salir preparado

Finalmente, Abram le dijo a Lot: "No permitamos que este conflicto se interponga entre nosotros o entre los que cuidan nuestros animales. Después de todo, ¡somos parientes cercanos!" Génesis 13:8.

Obedecer

Tres sugerencias para manejar los conflictos:

1. El objetivo es la unidad, no la paz (ausencia de conflicto). Lean las siguientes palabras lenta y cuidadosamente: El conflicto es inevitable. Va a suceder. El objetivo no es estar libre de conflictos, sino trabajar por lo que es justo. En la Biblia, la paz no era el objetivo en sí, sino el producto de factores que contribuían a la misma. Un "conflicto saludable" es aquel en el que tengo una diferencia contigo sin soltarte de la mano.

2. Toma pasos que sean prácticos para resolver el conflicto. Estas son tres claves para resolver el conflicto.

- *Pregunta.* No interpretes, supongas ni des por hecho. No intentes adivinar. Pregunta.
- *Ora antes.* Ora cuando el probable conflicto esté por comenzar y actúa como una sábana que evitará que el fuego (conflicto) se propague.
- *Concéntrate.* Enfócate en el problema real, y concéntrate en un problema a la vez. Resiste la tentación de intentar resolver todos los problemas a la vez. Esto requiere disciplina. Muchas veces el problema no es el verdadero problema. Vé a la raíz, no a las ramas.

3. A mayor esfuerzo en compartir el evangelio, menor cantidad

de conflictos. La cantidad de conflictos poco saludables que hay en una iglesia es inversa a la proporción del enfoque en la misión que la iglesia tenga. El que hace menos es el que más exige que hagan otros. Como líderes, no juguemos el juego de "apagar fuegos", sino mantengamos la misión de la iglesia en primer lugar. Mientras más personas estén involucradas en el propósito de la iglesia, menos argumentos existirán para pelear o causar conflictos. Y tu iglesia, ¿está más enfocada en servir a la comunidad o a sí misma?

Saber compartirlo

1. Limpia tu lugar de trabajo antes de que el empleado de limpieza lo haga.
2. Deposita la basura en el contenedor destinado para eso.
3. Paga por una bebida, una comida o la propina de la persona que está detrás de ti en la fila.

Mi oración para el día de hoy:

Padre, ayúdame a ser amoroso en mis relaciones con los demás, y ayúdame a servir a aquellos que no tengan buenas relaciones conmigo. Amén.

Reflexión personal:

Cuando tengo conflictos con alguien en la iglesia, pienso...

Día 19

Salir preparado

Tiempo después Jesús subió a un monte y llamó a los que quería que lo acompañaran. Todos ellos se acercaron a él. Luego nombró a doce de ellos y los llamó sus apóstoles. Ellos lo acompañarían, y él los enviaría a predicar y les daría autoridad para expulsar demonios. Marcos 3:13-15.

Obedecer

Servir al necesitado puede dejarnos exhaustos y a veces frustrados. Cuando te des por vencido, recuerda tres cosas muy importantes:

1. ¡La* Persona *que te llamó es importante! Jesús llamó a sus discípulos hace dos mil años, y todavía sigue llamando a otros. El sentido de llamado es crucial, especialmente cuando pasamos por momentos difíciles, pues a veces lo único que nos queda es el llamado.

2. El* propósito *por el cual fuiste llamado también es importante. Reconoce por qué te llamó. Hubo tres cosas que los discípulos pudieron hacer después de recibir el llamado: sacar demonios, predicar y sanar. En el mundo de hoy es probable que tu llamado haya sido buscar a los que están perdidos. ¡Hoy, Dios nos llama a estar con él! Tenemos que *ser* antes de *hacer*.

3. La* personalidad *o el* carácter *del que es llamado también es clave en nuestra misión. Cada discípulo que Jesús llamó tenía una personalidad diferente. Entre ellos no había uniformidad. La diversidad de caracteres de los discípulos contribuyó al progreso del cristianismo. Ellos provenían de familias diferentes, de condiciones económicas distintas, de visiones políticas particulares y ocupaciones diferentes. A partir de su llamado vivieron sirviendo a otros. Por lo tanto, si pudo trabajar con estas doce personas diferentes, entonces *Jesús puede trabajar conmigo*.

Saber compartirlo

1. Sé un conductor amable. Esto es posible en cualquier pueblo o ciudad.

2. Detén el ascensor para permitir que una persona más pueda llegar a tiempo a su cita.

3. Visita un puesto de comida en la calle y compra cualquier cosa.

Mi oración de hoy:

Señor, ayúdame a recordar que soy un ser humano y no una máquina que hace cosas. Estaré contigo antes de trabajar contigo. Amén.

Reflexión personal:

Señor, al contemplar tu obra en cada discípulo, me siento...

Día 20

Visión

Salir preparado

Cierto día, Jonatán le dijo a su escudero: "Ven, vamos a donde está la avanzada de los filisteos". Pero Jonatán no le dijo a su padre lo que pensaba hacer. 1 Samuel 14:1.

Obedecer

Supongamos por un momento que tú eres Jonatán. Si vas a atacar al enemigo, ¿compartirías esa valiosa información militar con el rey, quien también es tu padre? Jonatán eligió no compartir su plan. Ten cuidado; no compartas tu visión con cualquiera. ¿Por qué debes ser cuidadoso?

- *Algunos no lo apoyarán.* No les gusta que ese plan no haya sido idea suya.
- *Algunos se opondrán.* No les gusta el hecho de que sean escogidos.
- *Algunos se burlarán.* Ven tu proyecto como una tontería, y también tu éxito.
- *Algunos te cuestionarán.* Ellos te preguntarán "¿estás seguro?", en vez de preguntarte "¿en qué te puedo ayudar?"

Ten en cuenta lo siguiente: Una vez que estás convencido de que Dios te ha dado una buena idea, puede ser que alguien te diga que eso que has recibido no sirve para nada. En lugar de desechar la crítica, tómala como un paso para depurar tu idea, hasta convertirla en una obra de arte para Dios. No dejes que la crítica detenga el desarrollo de tu visión. Cualquier proyecto que es bendecido por Dios es atacado por el diablo. Aunque no debes ser temerario o irresponsable con las decisiones que vas a tomar, debes dar un paso por fe. Las más grandes invenciones y las grandes metas realizadas tienen dos cosas en común:

- Fueron concebidas por un visionario.
- Tuvieron oposición de muchas personas.

Entonces, sigue adelante y sirve a tu comunidad en el nombre de Jesús.

Saber compartirlo

1. Visita un hogar de ancianos.
2. Da las gracias a alguien por hacerte cualquier favor.
3. Bota la basura.

Mi oración de hoy:

Mi Dios, tengo pasión por servir a la comunidad, pero a veces enfrento oposición. Ayúdame a ver lo que tú ves, para poder continuar. Amén.

Reflexión personal:

Mi gran visión para servir a los demás es...

Día 21

Dar

Salir preparado

Si ayudas al pobre, le prestas al Señor, ¡y él te lo pagará! *Proverbios 19:17.*

Obedecer

La gracia es gratuita, pero el ministerio necesita recursos. Si Dios te ha bendecido, tú puedes también ser una bendición para otros. Dios te da dinero por tres razones.

1. Para que ahorres. Los expertos financieros dicen que, por lo menos, debemos ahorrar el cinco por ciento de lo que ganamos. Cuando ahorramos, hacemos tres cosas:

- Nos preparamos para lo inesperado.
- Nos aseguramos que nuestros hijos tengan la oportunidad de tener éxito en la vida.
- Obedecemos el mandato del Señor.

2. Para compartir. Cuando damos, beneficiamos a otros en el avance de la obra de Dios sobre la tierra. Un filántropo dijo: "Le doy mi dinero a Dios con una pala. Él hace lo mismo, y su pala es más grande que la mía". Cuando le damos primero a Dios, declaramos que lo espiritual es lo primero y que gastar es lo segundo.

3. Para disfrutar. El siguiente pasaje bíblico establece claramente este principio: "También es algo bueno recibir riquezas de parte de Dios y la buena salud para *disfrutarlas*. Disfrutar del trabajo y aceptar lo que depara la vida son *verdaderos regalos de Dios*" (Eclesiastés 5:19; énfasis agregado). Evitamos los extremos. No somos consumidores adictos, sino que gastamos sabiamente en actividades en las que podemos participar, especialmente con nuestra familia. ¿Cómo has usado los recursos que Dios te ha dado para bendecir a otros en esta semana?

Saber compartirlo

1. Cuando veas un accidente automovilístico, llama al 911 y espera allí hasta que lleguen los paramédicos.
2. Aprende y comparte con otros una frase que exprese un pensamiento positivo.
3. Dona una de tus posesiones favoritas, o el diez por ciento de tu ropa.

Mi oración de hoy:

Pastor de mi vida, ayúdame a darme cuenta de cuán bendecido soy. Te agradezco por darme el privilegio de bendecir a alguien menos afortunado que yo en este día.

Reflexión personal:

Hoy ayudé a alguien, y me sentí...

Día 22

Servir

Salir preparado

Todo lo que hacen es para aparentar. En los brazos se ponen anchas cajas de oración con versículos de la Escritura, y usan túnicas con borlas muy largas. Mateo 23:5.

Obedecer

Todo acto es motivado por un sentimiento. Dios no solo ve los hechos, sino que conoce las intenciones de cada uno. Te has preguntado: ¿Por qué tengo que servir *a otros?* Aquí hay algunos motivos por los cuales los seres humanos servimos a otros:

- *Hábito:* Es lo que te han enseñado. De manera que haces lo que has aprendido.
- *Obligación:* Si no sirves a otros, te dejarán de lado.
- *Miedo:* Si no sirves a otros, algo malo te pasará a ti.
- *Presión de grupo:* Toda tu familia y los hermanos de la iglesia sirven a otros, por lo tanto, tú también.
- *Alguien te pidió que sirvieras:* Y serviste.
- *Por interés propio:* Quieres más bendiciones. Oíste que si servías, tú también recibirías bendiciones abundantes.
- *Influencia:* Cuando sirves a otros de manera significativa, tu opinión tiene más peso.
- *Legalismo:* Cuando crees que con el acto de servir ganas la salvación, entonces sirves.
- *Competencia:* Quieres que tu iglesia, tu grupo, tu familia, o tú mismo, sirvan más que los demás.

Pero, ¿cuál es el fundamento legítimo del servicio? ¿Cuál es la razón real? Debemos servir simplemente porque:

- Dios nos sirvió primero. Servimos por lo que Dios ha hecho por nosotros.
- Porque reconocemos la soberanía y el poder de Dios sobre nuestras vidas.
- Porque amamos a Dios y no podemos dejar de servirle. Servir no es una opción.

Saber compartirlo

1. Deja que alguien se te adelante en la fila del supermercado.
2. Escucha a alguien atentamente.
3. Prepara una comida nutritiva para alguien que no tiene hogar.

Mi oración del día de hoy:

Jesús, quiero servirte a ti y a otros por las razones correctas. Amén.

Reflexión personal:

Cuando pienso en lo que Dios ha hecho por mí...

Día 23

Más allá

Salir preparado

Estas iglesias están siendo probadas con muchas aflicciones y además son muy pobres; pero a la vez rebosan de abundante alegría, la cual se desbordó en gran generosidad. Pues puedo dar fe de que dieron no solo lo que podían, sino aún mucho más. Y lo hicieron por voluntad propia. 2 Corintios 8:2, 3.

Obedecer

Cuando hablo con algunas parejas, les pregunto: "¿Cuál es el mayor enemigo que tienen en su casa?" La respuesta es extraña, pero cierta: *La rutina* es la mayor enemiga. Hoy fue como ayer, igual que el día anterior. Es un día distinto en el calendario, pero es la misma rutina. La monotonía mata el amor, echa fuera la pasión, y destruye las relaciones. ¿Cómo se aplica este concepto al servicio? Tengo tres desafíos para ti:

1. Deja tu zona de comodidad. Da más de lo que piensas que puedes dar. Da hasta que te duela. Ponte de acuerdo con Dios para apoyar un proyecto de la iglesia o un esfuerzo de evangelización o a una persona que necesite ayuda. Pon a Dios a prueba. Ve más allá de tus habilidades y de tus limitaciones humanas.

2. Si quieres tener lo que nunca has tenido, da lo que nunca has dado. En otras palabras, si sigues dando lo que has dado antes, siempre tendrás lo que has tenido todo el tiempo. ¿No es hora de ir al siguiente nivel? Ve más allá de tu zona de comodidad.

3. No esperes a que las condiciones estén buenas, comienza a servir hoy. Si sigues esperando que las cosas sean ideales para comenzar a servir, te aseguro que nunca comenzarás. Sé que no te gustaría quedar mal, pero es hora de aprovechar la oportunidad que Dios te ofrece de ir más allá de tus posibilidades. ¡Acepta el desafío de Dios! ¡Comienza a servir!

Saber compartirlo

1. Deja que las cosas tomen su rumbo y ríete de ti mismo.
2. Comparte tu último bocado.
3. Haz una pausa en tus labores diarias para ayudar a alguien.

Mi oración para el día de hoy:

Dios, te pido permiso para ir más allá de mis posibilidades. Sé que me capacitarás para lograrlo. Amén.

Reflexión personal:

Hoy fui más allá de mis posibilidades, y me siento...

Día 24

Bendición

Salir preparado

Haré de ti una gran nación; te bendeciré y te haré famoso, y serás una bendición para otros. Génesis 12:2.

Obedecer

Completa la siguiente oración:

Cuando sea rico, yo ________________________________.

Algunos escribirán lo siguiente:

- Podré vivir bien.
- Podré pagar mis deudas.
- Podré proveer para mi familia.
- Podré pagar mi casa.
- Podré tener seguridad económica.

Si Dios te enviara un cheque de un millón de dólares mañana, ¿qué harías con él? ¿Cómo impactarías al mundo? ¿Cómo ayudarías a tu comunidad? Te aliento a delinear un plan desde hoy para ayudar a tu comunidad. Piensa en grande, más allá de lo que ves. Prepárate para poner en práctica lo que quieres cuando venga la oportunidad, comenzando hoy con lo más pequeño. Este devocional está hecho para mantener ese proyecto que tienes en mente para cumplir el propósito de Dios. Lee este versículo: "Efectivamente, serán enriquecidos en todo sentido para que siempre puedan ser generosos; y cuando llevemos sus ofrendas a los que las necesitan, ellos darán gracias a Dios" (2 Corintios 9:11).

Saber compartirlo

1. Siembra un árbol.
2. Envía a un maestro/a una flor o una carta de agradecimiento.
3. Envía una carta de agradecimiento a tus padres.

Mi oración de hoy:

Señor, ayúdame a ser generoso de manera consistente. Amén.

Reflexión personal:

Hoy seré generoso al...

Día 25

Gracia

Salir preparado

Dado que ustedes sobresalen en tantas maneras —en su fe, sus oradores talentosos, su conocimiento, su entusiasmo y el amor que reciben de nosotros— quiero que también sobresalgan en este acto bondadoso de ofrendar. No estoy ordenándoles que lo hagan, pero pongo a prueba qué tan genuino es su amor al compararlo con el anhelo de las otras iglesias. Ustedes conocen la gracia generosa de nuestro Señor Jesucristo. Aunque era rico, por amor a ustedes se hizo pobre para que mediante su pobreza pudiera hacerlos ricos. 2 Corintios 8:7-9.

Obedecer

Las personas que han experimentado la gracia de Dios entienden tres cosas:

1. Conocen la conexión entre la gracia y la generosidad. Esa conexión es real. Muchos cristianos no entendemos este concepto. Una persona salvada es una persona generosa. Si yo me estoy ahogando y alguien me salva, ¿cómo respondo ante ese gesto? Si yo necesitara un trasplante de corazón y alguien lo donara, ¿cómo respondería? Todos diríamos lo mismo: con generosidad.

2. Entienden que la generosidad es una evidencia de la salvación. La generosidad no compra nuestra salvación; es la evidencia de ella. Mientras más en claro tengamos el sacrificio de Jesús, más diligentes somos en ayudar a otros. De la misma manera en que Jesús abrió sus manos en la cruz y bendijo al mundo en su totalidad, nosotros, sus seguidores, abrimos nuestras manos al mundo ofreciéndonos a servir desinteresadamente.

3. Entienden las implicaciones de ser generosos. El texto de hoy nos cuenta acerca de lo que Dios nos dio y cómo eso mejoró nuestra situación. La implicación verdadera de nuestra dadivosidad es que los demás progresen, cambien, y otros sean salvados. ¿Qué mejor recompensa podemos recibir que cambiar la vida de otra persona?

Saber compartirlo

1. Llévale a alguien una canasta de frutas.
2. Deja en un lugar público un buen libro con una notita de ánimo.
3. Dona libros a la biblioteca local.

Mi oración de hoy:

Rey de reyes, gracias por salvarme. No hay manera de pagarte, pero ayúdame a extender la gracia a otros como me la has extendido a mí. Amén.

Reflexión personal:

Reconozco que tu gracia me sostiene. Hoy deseo extenderla a...

Día 26

Amor

Salir preparado

Al acercarse a Jerusalén, Jesús vio la ciudad delante de él y comenzó a llorar. Lucas 19:41.

¡Oh, Jerusalén, Jerusalén, la ciudad que mata a los profetas y apedrea a los mensajeros de Dios! Cuántas veces quise juntar a tus hijos como la gallina protege a sus pollitos debajo de sus alas, pero no me dejaste. Lucas 13:34.

Obedecer

Aprenderemos por lo menos tres lecciones de estos textos:

1. Un estilo de vida pecaminoso no desalienta a quien ofrece una demostración de amor. Jerusalén tenía una historia negra. Mataba a todos los mensajeros que Dios enviaba, y sus habitantes rehusaban la corrección. A pesar de todo eso, Jesús los amó, les ministró, les predicó y los buscó para transformarlos.

2. En vez de irte, ama. Cuando Cristo vio la necesidad, fue hacia Jerusalén. Él sabía que no lo iban a tratar muy bien, pero su corazón ardía por salvar a las personas que vivían ahí.

3. Amar es más que un sentimiento por la ciudad, es actuar en su favor. Jesús lloró por la ciudad y se compadeció por la gente que vivía en ella. Eso era maravilloso, pero no suficiente. Tomó esos sentimientos y los puso en acción sanando, predicando, instruyendo y ayudando. El propósito de estas lecciones es, precisamente, llevarnos del sentimiento a la acción.

Saber compartirlo

1. Ofrece estampillas frente a las oficinas de correo un 15 de abril, cuando muchas personas envían sus declaraciones de

impuestos. Una iglesia realizó este proyecto y tuvo mucho éxito.

2. Ofrece Gatorade en una carrera de bicicletas. Los ciclistas no toman soda; por eso, si les ofreces este tipo de bebida, la aceptan inmediatamente.
3. Paga una multa de la biblioteca de la comunidad en favor de otra persona.

Mi oración de hoy

Señor, ayúdame a amar a mi ciudad y no dejarla. Enséñame cómo poner mis sentimientos en acción. Amén.

Reflexión personal:

Cuando miro mi ciudad, pienso que puedo...

PARTE IV: ESTUDIOS PARA GRUPOS PEQUEÑOS

Lección 1

Sal y luz

Transforma

Ustedes son la sal de la tierra. Pero, si la sal se vuelve insípida, ¿cómo recobrará su sabor? Ya no sirve para nada, sino para que la gente la deseche y la pisotee. Ustedes son la luz del mundo. Una ciudad en lo alto de una colina no puede esconderse. Ni se enciende una lámpara para cubrirla con un cajón. Por el contrario, se pone en la repisa para que alumbre a todos los que están en la casa. Hagan brillar su luz delante de todos, para que ellos puedan ver las buenas obras de ustedes y alaben al Padre que está en el cielo. Mateo 5:13-15, NVI.

Descubre

1. Según Mateo 5:13, el cristiano es la sal de la tierra. ¿Qué sientes al reconocer que es así?

2. ¿Cuáles son las principales características de la sal? ¿Por qué Jesús dijo que somos la sal de la tierra?

    - *La sal hace sentir sed.* ¿Cómo puedes lograr que tus amigos tengan sed por Dios?
    - *La sal hace que la comida adquiera un sabor agradable.* ¿Qué estás haciendo para mejorar la vida de otros?
    - *Cuando es mezclada con la comida, la sal desaparece.* ¿Qué estás haciendo para traer gloria a Dios y no a ti mismo?

3. El versículo 14 dice que somos la luz del mundo. Según el texto, ¿cómo podemos compartir esa luz que Cristo nos dio? ¿Con cuántos debemos compartir la luz?

    - *La luz ayuda a las personas a ver.* ¿Cómo ayudas a otros a ver las cosas como realmente son?
    - *La luz ahuyenta las cucarachas.* No te enojes contra las tinieblas, ¡enciende una luz!

- *Cuando es enfocada directamente a los ojos, la luz deslumbra.* Sé cuidadoso cuando presentas la verdad; incluye amor siempre.

4. ¿Qué pasa si la sal ya no da sabor y si la luz no alumbra? ¿Qué pasaría si los cristianos dejamos de ser la sal de la tierra y la luz del mundo?
5. ¿Es difícil para ti ser la sal de la tierra y la luz del mundo? ¿Qué podemos hacer como grupo para cumplir con nuestra misión?

Sirve

Para ser la sal de la tierra y la luz del mundo, debemos hacer lo siguiente:

1. Tener una experiencia de comunión diaria con Jesús. La única forma de poder ser luces para otros es andar en la luz y recibirla cada día. Hasta ahora, ¿has andado en la luz? ¿Qué debes hacer para recibir la luz de Dios cada día?

2. Dar sabor a tu vida y a la de otros. Una de las características de la sal es su poder saborizante. Jesús quiere que el evangelio le dé sabor a nuestra vida. ¿Consideras que el evangelio le da sabor a tu vida, o piensas que tu vida es insípida? ¿Crees que las vidas de las personas que te rodean son insípidas? ¿Qué puedes hacer para añadir sabor a la vida de otros?

3. Usar el método de Cristo. "Solo el método de Cristo será el que dará verdadero éxito para llegar a la gente. El Salvador trataba con los hombres como quien deseaba hacerles bien. Les mostraba simpatía, atendía a sus necesidades y se ganaba su confianza. Entonces les decía 'Seguidme'" (Elena G. de White, *El ministerio de la bondad*, p. 64).

Durante esta semana, comparte un texto bíblico con un amigo, un compañero de trabajo y un familiar que todavía no conoce a Jesús. Elige una promesa bíblica que puedas compartir. Luego puedes decirle: "¿Sabías que la Biblia nos da esta hermosa promesa?", o, "Hay una declaración que me infunde mucha paz, y dice...".

Lección 2

El método de Cristo

Transforma

"Solo el método de Cristo será el que dará éxito para llegar a la gente. El Salvador trataba con los hombres como quien deseaba hacerles bien. Les mostraba simpatía, atendía sus necesidades y se ganaba su confianza. Entonces les decía: 'Seguidme'" (Elena G. de White, *El ministerio de curación*, p. 102).

Descubre

1. ¿Qué tipo de actitud debemos tener hacia las personas, aunque sean diferentes? Jeremías 22.3.

2. ¿A qué personas debe darle un apoyo especial el pueblo de Dios?

    a. Las viudas y ______________________________ Santiago 1:27.
    b. Los ____________________________________ Levítico 19:34.
    c. Los ______________________________________ Isaías 58:10.

3. ¿Por qué razón debemos ayudar a los extranjeros e inmigrantes? Éxodo 23:9.

4. ¿Qué nos diferencia de las personas que no son cristianas? Mateo 5:46-48.

5. ¿Qué hace Jesús con las barreras de raza, género o clase social? Gálatas 3:28.

Sirve

1. Todos somos hermanos. Blancos y negros, hispanos y europeos, ricos y pobres, todos somos hermanos. El ser humano ha hecho distinciones y ha creado barreras entre las etnias, pero cuando llegamos a Jesús, esas barreras son quebrantadas, y miramos a los otros como hermanos. ¿Cómo podemos (como grupo pequeño) integrar a nuevas personas que nos visitan para que se sientan parte de nosotros?

2. Todos tenemos una responsabilidad. Dios es explícito al referirse a nuestra responsabilidad hacia los menos afortunados. La Biblia nos enseña, texto tras texto, cómo debemos tratar a las personas que no tienen los recursos o no han tenido las oportunidades que sí tuvimos nosotros. Al inmigrante se lo menciona de manera especial. Hay más de treinta versículos en la Biblia que afirman específicamente que se le debe dar especial atención al "extranjero". ¿Qué puede hacer tu grupo pequeño para ayudar a los inmigrantes en tu comunidad? No solo hablen de ello, conviértanlo en un proyecto del grupo.

3. Todos podemos amar, aún a los que no nos aman. Hemos reflexionado acerca de que todos somos hermanos. A veces, esas personas "diferentes" no aceptarán nuestra ayuda o nuestro amor. Y nos asaltará la tentación de olvidarnos de ellos. ¡No lo hagas! ¡Sigue amando, sigue apoyando, sigue ayudando a todos por igual! Es así como se demuestra el verdadero cristianismo. ¿A quién puedes invitar la próxima semana a la reunión de tu grupo pequeño?

El propósito de las próximas lecciones es poner nuestra fe en acción y comprometernos con las necesidades de nuestra comunidad. Como grupo, elijan un proyecto de servicio a la comunidad, y hablen de cómo desarrollarlo juntos en este mes. ¡Conviértanlo en realidad!

Lección 3

Es tiempo de servir

Transforma

Todo tiene su momento oportuno; hay un tiempo para todo lo que se hace bajo el cielo. Yo sé que nada hay mejor para el hombre que alegrarse y hacer el bien mientras viva. Eclesiastés 3:1, 12, NVI.

Descubre

1. Analiza el texto de arriba (Eclesiastés 3:12). Dice dos cosas importantes. Una es alegrarse, y la otra es hacer el bien. ¿Qué relación tienen estas dos cosas?
2. ¿En qué debes pensar primero antes de programar tus actividades diarias? Santiago 4:13-15.
3. A veces estamos tan involucrados en nuestras actividades religiosas que descuidamos el servicio a la gente necesitada (lee Lucas 10:31, 32). ¿Ocurre eso en tu iglesia? ¿Qué puedes hacer para cambiarlo?
4. ¿Qué instrucción clara tenemos respecto a la manera de manejar el tiempo? Efesios 5:16.
5. ¿Qué ocurrirá cuando dediquemos tiempo para servir y ministrar a otros? Gálatas 6:9.

Sirve

Hay tres maneras de administrar su tiempo para que puedas tener tiempo para servir a los demás.

1. Calma. En un estudio reciente, el 50 por ciento de las personas dijeron que quieren frenar su vida, pero no saben cómo lograrlo. ¿Cómo haces tú para mantener la calma en medio de las ocupaciones? Una forma es darse cuenta de que nunca terminarás todo lo que tienes que hacer. ¡Nunca! Por tanto, detente y observa la necesidad de los que te rodean. ¿Cómo podemos practicar esto?

2. Clama. Busca a Dios. Cuando detengas el ritmo de tu vida, asegúrate de incluir un tiempo para la oración y la lectura de la Palabra de Dios, así como el ayuno. Pídele a Dios que te muestre a las personas heridas en tu redor, y cuando él lo haga, minístralas. ¿Cuál es el mejor momento del día para buscar a Dios? ¿Qué sucede si eres una persona que funciona mejor de noche?

3. Establece metas. El autor Brian Tracy dice que por cada minuto que pasas planeando el próximo día, te ahorras diez minutos al día siguiente. ¿Cuán claros son tus objetivos? ¿Qué objetivos específicos tienes para servir a otros en este año, esta semana o este día?

El propósito de esta lección es ayudarte a "poner frenos" a tu vida, para que puedas poner tu fe en acción e involucrarte en tu comunidad. Discutan cómo va el proyecto de servicio.

Lección 4

No se trata de ti

Transforma

No se preocupen por su vida, qué comerán o beberán; ni por su cuerpo, cómo se vestirán. ¿No tiene la vida más valor que la comida, y el cuerpo más que la ropa? Fíjense en las aves del cielo: no siembran ni cosechan ni almacenan en graneros; sin embargo, el Padre celestial las alimenta. ¿No valen ustedes mucho más que ellas? Mateo 6:25, 26.

Descubre

1. *Revisa los textos bíblicos anteriores.* Observa cuántas veces Dios dice la palabra "usted". Su objetivo es que te enfoques en él y en otros, no en ti mismo. ¿Es difícil vivir sin preocuparte?

2. *Una declaración provocadora.* Lean Filipenses 2:3. La última parte dice que debemos considerar a otros como superiores a nosotros mismos. ¿No es peligroso eso para nuestra estima propia? ¿Qué está queriendo Dios enseñarnos?

3. *La mala actitud.* ¿Porque es mala una actitud basada en el "yo"? Lean Lucas 12:18-20.

4. *El prójimo.* Cuando nos concentramos en los demás, ¿a quién realmente estamos sirviendo? Mateo 25:34-40.

5. *El amor.* La frase "unos a otros" aparece varias veces en las Escrituras. ¿Qué es lo más importante que podemos hacer unos a otros? *Juan 13:35.*

Sirve

Hay tres cosas que puedes hacer para levantar tus ojos de ti mismo y fijarlos en otros.

1. Interrupción. Si te pones a pensar, Jesús realizó muchos de sus milagros cuando iba a otro lugar, para hacer otra cosa. ¡Y lo interrumpieron! Las interrupciones, especialmente cuando vienen en la forma de personas que necesitan ayuda, son enviadas por Dios. ¿Cómo reaccionas cuando te interrumpen? ¿Cómo puedes mejorar esa reacción?

2. Invitación. Invita a otros a compartir tu vida. Ningún hombre es una isla. Jesús dijo a sus discípulos que fueran e invitaran a las personas a un banquete. Hoy también, Dios nos ha dado la oportunidad de tener un banquete de bendiciones. ¿A quién invitarás a compartir estas bendiciones contigo?

3. Imitación. Mira el ejemplo de Jesús. Imita su estrategia. La mejor descripción de esa estrategia se encuentra aquí: "Solo el método de Cristo será el que dará éxito para llegar a la gente. El Salvador trataba con los hombres como quien deseaba hacerles bien. Les mostraba simpatía, atendía sus necesidades y se ganaba su confianza. Entonces les decía: 'Seguidme'" (Elena G. de White, *El ministerio de curación*, p. 102). ¿A quién le estás supliendo sus necesidades? ¿A quién le estás mostrando simpatía?

El propósito de esta lección es ayudarte a mirar las necesidades de los demás no como una interrupción, sino como parte de tu vida. Discutan en el grupo cómo va el proyecto de servicio.

Lección #5

El costo del servicio

Transforma

Den, y se les dará: se les echará en el regazo una medida llena, apretada, sacudida y desbordante. Porque con la medida que midan a otros, se les medirá a ustedes. Lucas 6:38.

Descubre

1. En la historia del Buen Samaritano, ¿que hizo él, además de darle apoyo moral al viajero herido? (Lucas 10:33-35).
2. ¿Cómo se siente Dios hacia la gente que cuando ve una necesidad solo dice: "Voy a orar por ti"? (Santiago 2:15-17).
3. ¿Qué sucede cuando las personas le dan a Dios lo poco que tienen? (Juan 6:9-11).
4. Lee la siguiente línea: "Dar no es dar, a menos que interrumpa tu estilo de vida". Reflexiona en esa cita. ¿Estás siguiendo ese consejo?
5. ¿Cómo se ilustra en la Biblia el principio de dar? (Filipenses 2:5-7).

Sirve

Hay tres cosas que puedes hacer para luchar contra el monstruo del materialismo en tu vida.

1. Dar. En un mundo egoísta, donde las personas buscan el beneficio suyo en primer lugar, Dios mata al materialismo cuando dice: "Da". Dos letras poderosas. Siente la libertad de dar. ¿Qué posesión material darías si te lo pidieran? ¿Qué cosa no darías, ni muerto?

2. Dar primero. ¿No damos porque no tenemos, o no tenemos porque no damos? Esta es una pregunta importante, más o menos como la pregunta de qué vino primero, si la gallina o el huevo. Nuestro texto clave para hoy nos da la respuesta. Dar es el primer paso. Muchos hacen lo contrario. Esperan en el Señor, para luego dar. ¡Eso está al revés! Debemos dar, y entonces esperar en el Señor. Él suplirá lo que nos falta.

3. Dar con confianza. Fíjate otra vez en el texto de hoy. En tan solo tres líneas se mencionan cuatro bendiciones que provienen de la liberalidad. Tú recibirás. Se echará en tu regazo. No damos porque queremos algo a cambio; pero podemos estar seguros de que Dios se encargará de nuestras necesidades. ¿Qué necesitas que Dios haga este mes con tus finanzas? ¿Qué necesitas que haga hoy?

El propósito de esta lección es ayudarte a entender la bendición que la dadivosidad tiene sobre el donante y el receptor. Discutan cómo va el proyecto de servicio. ¡Háganlo realidad!

APÉNDICE

Ejemplo de una ENCUESTA A LA COMUNIDAD

1. ¿De acuerdo a su opinión, cuáles son las mayores necesidades o problemas de esta comunidad?

   ______________________ ______________________

   ______________________ ______________________

2. ¿Cuál es su mayor fuente de estrés?

   ____

3. ¿En qué áreas le gustaría mejorar su salud?

   ☐ Ejercicio ☐ Nutrición ☐ Descanso ☐ Bebidas
   ☐ Tabaquismo ☐ Manejo de estrés ☐ Otro ____________

4. ¿Cuáles de estas clases o actividades le interesarían?

   ☐ Clases de cocina saludable
   ☐ Clases sobre el manejo del estrés
   ☐ Clases sobre el manejo del dinero
   ☐ Estudios bíblicos
   ☐ Actividades sociales
   ☐ Escuela cristiana
   ☐ Programa para bajar de peso
   ☐ Clínica para dejar de fumar
   ☐ Clases para la depresión
   ☐ Escuela bíblica de verano
   ☐ Club de Conquistadores
   ☐ Mamá y yo

5. ¿Le gustaría que orásemos con y por usted? ¿Cuáles son sus peticiones?

   ____

   ____

Nombre ____
Dirección ____
Ciudad ________________ Estado ____________ Código ________

Correo electrónico (*e-mail*) ______________________________
Teléfono ____

101 ideas de evangelismo en servicio a la comunidad

Steve Sjogren escribió el libro *Conspiracy of Kindness* [Conspiración de la bondad], que muchos líderes de iglesias usan como una herramienta creativa y efectiva para compartir el amor de Cristo. Este autor dijo: "El evangelismo en servicio conecta a una persona con otra de la manera más natural, menos riesgosa y fácil, donde la gracia sobreabunda". He aquí algunas ideas que serán de gran utilidad para alcanzar a la comunidad. En muchos casos puedes además incluir alguna tarjetita con el nombre y la dirección de tu iglesia:

Proyectos de dar regalos fáciles y de poco costo

1. Dar una bebida caliente
2. Regalar el periódico
3. Regalar donas en medio del tráfico pesado
4. Regalar Gatorade
5. Regalar botellas de agua
6. Regalar paletas o bombones (*life savers* o *lollipops*)
7. Regalar palomitas de maíz
8. Regalar gafas de sol (¡las más baratas!)
9. Regalar cupones de descuento para helados
10. Regalar una barra nutritiva

Servicios

11. Escoltas de sombrillas
12. Ayudar a llevar la compra en los supermercados
13. Empacar bolsas en el supermercado
14. Recoger basura
15. Lustrar zapatos
16. Limpiar los baños de los negocios alrededor del pueblo
17. Obsequio a los empleados de un negocio
18. Dar una bebida refrescante a los empleados de un negocio
19. Regalar estampillas de correo frente al correo
20. Regalar una botella de agua a cualquier atleta
21. Pagar los recargos de alguien en una biblioteca

22. Dar cera para las tablas de los surfeadores
23. Jugar el juego "*Pictionary*" en un parque
24. Pelotitas de golf
25. *Tees* de golf
26. Limpiar pelotitas de golf
27. Limpiar las mesas de comer en un centro comercial
28. Pagar la diferencia en el tamaño grande en cualquier restaurant de comida rápida
29. Proveer alimentos para las aves de los ancianos
30. Proveer el cebo (la carnada) a los pescadores en el lago
31. Pagar en la lavandería por lavadora y secadora
32. Tomar fotos instantáneas para matrimonios
33. Proveer toallas para limpiarse las manos en el centro de la ciudad
34. Dar "*tokens*" para los carritos de compra
35. Aportar al tanque de gasolina de los que están contigo
36. Comida para los bomberos

Servicio en el vecindario

37. Recoger las hojas del vecindario
38. Recortar el cesped
39. Recortar las esquinas con la podadora
40. Limpieza de los canales de lluvia (desagues)
41. Limpieza de aceras
42. Limpieza de "*screens*"
43. Devolver los botes de basura a sus lugares de origen
44. Regalar rosas a tus vecinas en el Día de las Madres
45. Regalar un ramillete de tulipanes
46. Regalar tiestos de plantas favoritas
47. Ofrecer sobrecitos de semillas en la primavera
48. Podar árboles
49. Eliminar la hierba que brota en las aceras
50. Regalar leña para la chimenea
51. Regalar útiles escolares
52. Llevar frutas a los vecinos
53. Llevar el periódico dominical a tus vecinos

Mascotas

54. Regalar accesorios para las mascotas (perros, gatos, etc.)
55. Limpiar los patios de los perros
56. Dar un baño a los animales

Eventos

57. Lavar autos
58. Realizar el cambio de aceite a los autos de madres solas
59. Servicio de reemplazo de luces de autos
60. Regalar perros calientes vegetarianos
61. Payasos
62. Ministrar en servicios funerarios a los que no son miembros de ninguna iglesia
63. Llevar comida a los que no pueden salir por diversas circunstancias

Navidad e invierno

64. Palear la nieve
65. Raspar el hielo en las ventanas de los complejos de departamentos
66. Raspar el hielo de los parabrisas de los autos
67. Sacar los autos de los que están atorados en la nieve
68. Hacer envolturas de regalos para Navidad
69. Dar regalos en un centro comercial
70. Cuidar los paquetes de los clientes mientras hacen sus compras
71. Regalar cinta adhesiva
72. Regalar bastoncitos navideños (*candy canes*)
73. Regalar plantas de Pascua
74. Regalar árboles de Navidad

Otros días festivos

75. Regalar chocolates en el Día de la Amistad
76. Regalar una rosa en el Día de la Amistad
77. Regalar mariposas
78. Regalar accesorios para el Día de la Independencia de los Estados Unidos
79. Crear un festival de la cosecha (no a Halloween)

Servicios a los planteles universitarios

80. Sacar los botes de basura de los hospedajes de estudiantes
81. Servicio de arreglado de bicicletas
82. Proveer tarjetas postales con sus estampillas para poder enviarse a los familiares
83. Ofrecer servicio de fotocopias
84. Ofrecer barras de proteína a los estudiantes en el desayuno
85. Regalar libretas para escribir ensayos y papel para exámenes
86. Llevar bebidas a las bibliotecas para las sesiones de estudio nocturnas
87. Llevar pizza a los dormitorios
88. Enviar paquetes de cariño a estudiantes
89. Dejar monedas en las lavanderías cerca de los recintos universitarios

Ideas radicales de servicio

90. Tirar un dólar en la acera
91. Dejar monedas de 25 centavos en lugares visibles
92. Comprar gasolina por adelantado para cada bomba
93. Comprar ofertas en cualquier restaurante de comida rápida

Actividades en servicio cerca de la iglesia

94. Dar una bolsa de palomitas de maíz a nuestros vecinos
95. Dar una rosa en el Día de las Madres o Día de la Amistad a todas las damas del vecindario contiguo a la iglesia
96. Realizar cambios de aceite gratuitos a los autos
97. Hacer cortes de pelo gratis
98. Donar discos compactos (*cds*) con material educativo gratis
99. Organizar a los Conquistadores o los jóvenes para recoger basura o para ofrecer dulces
100. Hacer remodelación de hogares
101. Organizar una fiesta de la comunidad (*block party*)